VEJAM! É O **CORDEIRO DE DEUS,** QUE TIRA O PECADO DO MUNDO!

JOÃO 1:29

JESUS

NÃO É QUEM VOCÊ PENSA

TIAGO MATTES

JESUS
NÃO É QUEM VOCÊ PENSA

Copyright © 2023 por Tiago Mattes
Todos os direitos desta publicação são reservados por Vida Melhor Editora LTDA.

Todas as citações bíblicas foram extraídas da Nova Versão Transformadora (NVT), da Editora Mundo Cristão, salvo indicação em contrário.

Os pontos de vista desta obra são de responsabilidade de seus autores e colaboradores diretos, não refletindo necessariamente a posição da Thomas Nelson Brasil, da HarperCollins Christian Publishing ou de suas equipes editoriais.

Produção e projeto gráfico	*Tiago Cata*
Edição	*Thais Urel*
Revisão	*Marília Matos, Thais Urel, Daila Fanny e Camila Reis*
Diagramação	*Jorge Simionato e Sonia Peticov*
Capa e ilustração	*Felipe Guga*

EQUIPE EDITORIAL

Diretor	*Samuel Coto*
Coordenador	*André Lodos*
Assistente	*Lais Chagas*

Dados Internacionais de Catalogação na Publicação (CIP)
(BENITEZ Catalogação Ass. Editorial, MS, Brasil)

M387j   Mattes, Tiago
1.ed.   Jesus não é quem você pensa/ Tiago Mattes. – 1. ed. – Rio de Janeiro:
         Thomas Nelson Brasil, 2023.
            192 p.; il.; 13,5 x 20,8 cm.

            ISBN 978-65-5689-771-4

            1. Cristianismo. 2. Fé (Cristianismo). 3. Espiritualidade – Cristianismo.
         4. Jesus Cristo – Ensinamentos. I. Título.

11-2023/52   CDD: 232.954

Índice para catálogo sistemático

1. Jesus Cristo: Ensinamentos: Cristianismo   232.954

Bibliotecária responsável: Tábata Alves da Silva — Bibliotecária — CRB-8 / 9253

Thomas Nelson Brasil é uma marca licenciada à Vida Melhor Editora LTDA.
Todos os direitos reservados à Vida Melhor Editora LTDA.
Rua da Quitanda, 86, sala 601A — Centro
Rio de Janeiro — RJ — CEP 20091-005
Tel.: (21) 3175-1030
www.thomasnelson.com.br

Aos meus pais, James e Margareth,
que dedicaram sua vida para
me ensinar a amar Jesus.

SUMÁRIO

8 AGRADECIMENTOS

12 PREFÁCIO

16 INTRODUÇÃO

26 CAPÍTULO 1
JESUS É DEUS

44 CAPÍTULO 2
JESUS É VIDA

58 CAPÍTULO 3
JESUS É O CORDEIRO DE DEUS

72 CAPÍTULO 4
JESUS É AMOR INCONDICIONAL

98 CAPÍTULO 5
JESUS É O JUSTO JUIZ

124 CAPÍTULO 6
JESUS É O SALVADOR DO MUNDO

140 CAPÍTULO 7
COMO PODEMOS CONHECER JESUS?

170 CONCLUSÃO

180 NOTAS

AGRADECIMENTOS

Quero expressar minha profunda gratidão a todas as pessoas que contribuíram para este livro e, além disso, têm sido parte fundamental da minha vida e do meu ministério. Reconheço que são muitas, e é difícil encontrar palavras para expressar todo o meu apreço.

Primeiramente, desejo agradecer à minha amada esposa, Nath, por aceitar o desafio de compartilhar de minha jornada como pastor e servir a Jesus ao meu lado. Sua presença e seu apoio são um presente precioso para mim.

Aos meus mentores, André Fontana e Josué Campanhã, quero expressar minha profunda gratidão por terem acreditado em mim desde o início e investido tempo valioso na minha formação como pastor.

Um agradecimento especial à Igreja Red, que representa a realização de um sonho, e tem sido uma fonte constante de inspiração para o meu ministério e pregações. Sou verdadeiramente apaixonado por essa igreja!

Minha equipe, sem a qual eu não seria o mesmo, merece todo o meu reconhecimento e minha admiração. Vocês são verdadeiramente incríveis! Fico impressionado com a forma com que Deus tem usado cada um de vocês. Ele reuniu pessoas muito especiais em um só lugar.

Quero expressar minha gratidão ao Tiago Cata, pastor executivo da Red, que desempenha um papel fundamental em nossa igreja, e foi especialmente importante em tornar este livro realidade.

Também gostaria de agradecer ao talentoso artista Felipe Guga, por ter aceitado fazer parte deste projeto. Admiro profundamente o seu trabalho! Sua contribuição é inestimável.

Agradeço a Thais Urel, cujo talento especial ajudou a escrever e transformar todo o conteúdo do livro em algo tão belo. Também à Marília Matos, que me auxiliou na revisão.

Por fim, mas não menos importante, expresso minha gratidão ao Jorge Simionato, o melhor designer do Brasil, que faz parte da nossa equipe e cuidou de cada detalhe para tornar este livro encantador.

A todos vocês, meu profundo agradecimento por tornarem o projeto uma realidade. Como disse Steve Jobs: "Coisas incríveis não são feitas por uma única pessoa, mas sim por uma equipe!".

Sei que, juntos, somos capazes de alcançar coisas incríveis! Que Deus continue abençoando cada um de vocês, e que continuemos trabalhando em equipe para levar as pessoas a um relacionamento crescente com Jesus!

TIAGO MATTES
Pastor sênior da Igreja Red

PREFÁCIO

Foi muito legal conhecer o Tiago Mattes pessoalmente, pois eu percebi que o pregador que eu via no Instagram não era um personagem, mas um pastor real, de uma igreja real, comprometido com a Palavra de Deus. O que eu admiro nele, na Red e em toda a equipe pastoral — que obviamente reflete um pouco do que ele tem estudado e pensado como igreja — é a simplicidade e a profundidade. A Red é uma igreja que se comunica com o seu meio e que se comunica para o nosso tempo. O Tiago é um pastor com o coração no lugar certo, que quer alcançar as pessoas, mas, para que isso seja real, ele não pula etapas. É um pastor que lidera pelo exemplo, que tem muito compromisso com as ovelhas e com os voluntários, e pude ver isso com meus próprios olhos nas vezes em que estive na Red.

Dar esse testemunho é, para mim, um motivo de grande alegria, porque um pastor com o coração em Jesus faz toda a diferença. Eu vi, na Red, obreiros e voluntários entusiasmados, bem como uma igreja vibrante que procura adorar a Jesus e aprender sua Palavra. Penso que ele consegue imprimir essas características na igreja que pastoreia.

Este livro nasceu nessa comunidade e foi escrito para quem quer viver em comunidade. Assim, o Tiago se propôs a ensinar, por meio da Palavra, quem é Jesus de verdade e usou como base o Evangelho de João. A Bíblia toda é um presente de Deus para nós, digna de ser estudada, conhecida e aplicada todos os dias da nossa vida. Mas se fosse preciso escolher apenas um livro que viesse a calhar para os dias atuais, eu escolheria exatamente o Evangelho de João. Tiro certeiro!

João relata o Messias habitando no meio de pessoas completamente perdidas emocional e espiritualmente, e destaca aspectos profundos sobre a pessoa de Jesus, sempre apontando para o fato de que ele é o Filho de Deus, e como essa verdade transforma tudo ao redor. O apóstolo levanta temas que são extremamente atuais, e que geram discussões e aprendizados.

Isso porque Jesus é pop. Jesus está na boca do povo, está nos crucifixos pendurados nas paredes, está no cinema, está no imaginário popular. A cultura ocidental em que vivemos está bem familiarizada com a figura de Jesus, ou melhor, de "algum Jesus". No entanto, nossa geração consumista, instantânea e plural não está interessada em conhecer a Deus profundamente, mas em lidar com alguma figura divina que corresponda às suas necessidades. Muitos chamam essa divindade criada de Jesus, mas não poderiam estar mais longe de conhecê-lo.

Além disso, infelizmente, em muitas igrejas a situação não é favorável para a pregação do verdadeiro Deus. É triste, mas frequentemente ouvimos falar de líderes religiosos que se aproveitam da sua posição para tirar vantagem das pessoas, agindo como

PREFÁCIO

lobos disfarçados de cordeiros. Eles não se importam em transmitir a Palavra de Deus com sinceridade e respeito.

Por sua bondade e amor, Deus levanta líderes para trazer lucidez às pessoas por meio da pregação de uma doutrina sadia. Neste livro, o desejo do Tiago é aproximar a boa teologia de pessoas interessadas em aprender mais sobre Deus e sua Palavra, nos apresenta Jesus de forma simples, mas também com uma profundidade tremenda — aliás, essas são duas grandes marcas de quem ele é como pregador. É assim que tem que ser: não é para ser complicado, mas também não é para ser vazio. Penso que ele consegue descomplicar e aprofundar, e nós fomos agraciados com essa sua virtude expressa nestas páginas. Que você seja profundamente abençoado por esta leitura!

Rodrigo Bibo
Criador do Bibotalk e autor do livro
O Deus que destrói sonhos

INTRODUÇÃO

Este livro é fruto de uma série de mensagens que preguei na Red. O tema nasceu em meu coração por ver tanta gente com uma imagem distorcida de Jesus. A partir daí, surgiu a pergunta que permeia todo o conteúdo deste livro: Quem é Jesus? Em um mundo com oito bilhões de habitantes, cada pessoa tem uma resposta diferente para essa questão. Alguns dirão que ele foi um grande profeta, outros o considerarão um sábio mestre que deixou valiosos ensinamentos. Haverá aqueles que o verão como um revolucionário de sua época, ou ainda um líder exemplar que deixou um legado para nossa vida.

Dentre todas as ideias existentes, talvez a mais comum seja a de que Jesus foi uma pessoa bondosa que veio ao mundo para trazer paz e amor, sem jamais causar mal a alguém. Se isso é verdade, então por que ele foi morto?

Jesus não foi apenas um cara legal que fez o bem no mundo. Você não crucifica caras legais. Você crucifica ameaças.[1]

Nessa frase, Tim Keller levanta uma questão de extrema importância: se Jesus foi apenas um

VOCÊ SABE QUEM É JESUS?

INTRODUÇÃO

"cara legal", como muitos afirmam, por que ele teria sido crucificado? Se ele era tão agradável, por que foi rejeitado e condenado publicamente? Por que sua presença incomodava tanto as pessoas? Por quê? João, um dos discípulos de Jesus, descreve em seu livro a atitude cruel e chocante que as pessoas daquela época tinham para com Cristo:

> *Veio ao mundo que ele criou, mas o mundo não o reconheceu. Veio a seu próprio povo, e eles o rejeitaram* (João 1:10-11).

Por que eles não o reconheceram? Por que o rejeitaram? A resposta é simples: porque ele não era como imaginavam! O povo tinha concebido uma ideia equivocada sobre Cristo e, quando Jesus veio ao mundo, era muito diferente do que esperava. Por isso rejeitaram-no e crucificaram-no. Jesus não atendeu as expectativas que tinham criado a seu respeito. Infelizmente, ainda hoje, muitas pessoas se contentam com visões limitadas e medíocres de Jesus, que não revelam a verdade e a grandeza de quem ele realmente é. Isso é extremamente perigoso! Ter uma concepção errada sobre Jesus certamente nos levará a rejeitá-lo.

Precisamos ter a humildade de reconhecer que o que realmente importa não é o que *nós* pensamos sobre Jesus, mas o que a Bíblia diz a respeito de quem ele é. O grande perigo de definirmos Jesus baseados apenas em nossa própria imaginação, em vez de nos apegarmos à Palavra de Deus, é criar uma imagem

19

distorcida que não corresponde à realidade. Isso nos levará a um relacionamento com uma caricatura de Jesus, o que nos impedirá de conhecê-lo verdadeiramente e de forma profunda.

Já parou para refletir que, mesmo usando o nome de Jesus, é possível adorar uma imagem criada pela nossa imaginação que não condiz com quem ele realmente é? Voltamos, então, à pergunta crucial: Quem é Jesus? Foi com o objetivo de ajudar você a encontrar uma resposta sólida que me dediquei a escrever este livro. Meu sincero desejo é que, ao percorrer estas páginas, você descubra a verdadeira identidade de Jesus.

Para desvendar quem ele é, nosso ponto de partida será a Bíblia, a Palavra de Deus. Ao longo dos séculos, aproximadamente quarenta pessoas inspiradas por Deus contribuíram para a sua escrita. A mente humana, por si só, jamais seria capaz de conceber uma visão tão perfeita e sublime a respeito dele.

Você sabia que toda a Bíblia tem como propósito apresentar e explicar quem é Jesus? De Gênesis até Apocalipse, cada livro aponta para ele. Compreendo que abordar todos os textos bíblicos seria uma tarefa impossível; por isso, este livro se concentra principalmente no Evangelho de João, complementado pelos outros três: Mateus, Marcos e Lucas. É por meio desses relatos que podemos aprender sobre a identidade de Jesus, suas obras e os motivos pelos quais as realizou.

É importante ressaltar que todos os evangelhos foram escritos com base em testemunhos oculares. Tais testemunhas conviveram com Jesus, presenciaram seu poder e seus milagres. Viram-no curar cegos e paralíticos, acalmar tempestades, morrer e ressuscitar! Essas experiências impactaram-nas de tal forma que dedicaram sua vida a compartilhar tudo o que testemunharam, revelando ao mundo a grandiosidade e o poder de Jesus. Essa verdade era tão real e essencial para elas que muitas chegaram a dar a própria vida em defesa da mensagem que anunciavam. Embora cada evangelho tenha sido escrito por uma pessoa diferente, com perspectivas distintas, todos compartilham o mesmo propósito: revelar a verdade sobre Jesus.

Dentre os evangelhos, o de João ocupa um lugar especial em meu coração. Há algo singular nesse relato. Primeiramente, João desfrutou de uma relação íntima com Jesus — era o discípulo a quem Jesus amava! Em diversos momentos dos relatos bíblicos, vemos João ao lado de seu mestre, compartilhando momentos especiais com ele.

Além disso, o Evangelho de João difere dos outros três em sua abordagem. Enquanto os demais seguem uma narrativa cronológica, João escreveu seu evangelho com o propósito de enfatizar a beleza e a divindade de Jesus. É um evangelho profundo, e, ao mesmo tempo, acessível, incrível e envolvente. Ele será o principal guia do conteúdo deste livro. Desafio você a começar sua jornada para conhecer Jesus por meio desse evangelho, assim como fiz quando o li para minha filha, ainda na barriga da mamãe.

Ao me propor a falar sobre a verdadeira identidade de Jesus, assumi o desafio de mergulhar na

Bíblia e buscar a essência de Cristo. E que experiência transformadora foi para mim! Certa noite, durante o processo de dedicação à Palavra e preparação das pregações, encontrei-me em casa, sentado em frente à minha esposa, derramando lágrimas copiosas, e compartilhando: "Amor, Jesus está tocando de forma profunda o meu coração!". Cada vez que nos aproximamos da essência de Jesus, somos profundamente impactados, quebrantados, maravilhados e transformados! Ele, graciosamente, me mostrou que há muito mais a conhecer. Essa jornada é a única que dá significado à nossa existência — ela é incrível, inesgotável e eterna.

Meu anseio é ver pessoas se aproximando e amando o verdadeiro Jesus de maneira contínua e profunda, o que só será possível se romperem com os mitos e caricaturas que têm a respeito dele. Foi exatamente essa motivação que me impulsionou a pregar as mensagens que se tornaram este livro que você tem em mãos. Minha sincera oração é que todas estas páginas conduzam-no a se render aos pés do Senhor Jesus. Desejo que tudo o que você ler aqui sobre ele mexa profundamente em sua alma, como aconteceu comigo, para que você conheça o verdadeiro Deus, talvez desconhecido até então.

CADA VEZ QUE NOS APROXIMAMOS DA **ESSÊNCIA DE JESUS,** SOMOS PROFUNDAMENTE IMPACTADOS.

JESUS NÃO FOI APENAS UM CARA LEGAL QUE FEZ O BEM NO MUNDO. VOCÊ NÃO CRUCIFICA CARAS LEGAIS. VOCÊ CRUCIFICA AMEAÇAS.

TIM KELLER

BOA
LEITURA!

CAPÍTULO 1

JESUS
É DEUS

NO PRINCÍPIO, AQUELE QUE É A PALAVRA JÁ EXISTIA.
A PALAVRA ESTAVA COM DEUS, E A PALAVRA ERA DEUS.
JOÃO 1:1

João nos diz, logo no começo do capítulo 1 de seu evangelho, no primeiro versículo, que Jesus é Deus. Em outras palavras, ele não é apenas um homem bacana, um exemplo de boas maneiras ou alguém que veio ao mundo para ensinar lições sobre liderança. Ainda que possamos aprender muitas lições práticas com Jesus, não podemos nos enganar ou nos esquecer da principal razão de sua vinda ao mundo: a salvação do ser humano!

Observe que o apóstolo João começa seu evangelho dizendo "No princípio". Isso é incrível porque essa maneira de ele começar nos remete, de forma proposital, ao início da Bíblia, que diz:

No princípio criou Deus os céus e a terra (Gênesis 1:1).

João nos leva de volta ao princípio, quando o tempo ainda não existia, quando a terra era sem forma e vazia, quando a escuridão cobria as águas profundas e o Espírito do próprio Deus se movia sobre a superfície das águas (Gênesis 1:2). Lá — Jesus estava lá! Ele já era antes que tudo mais fosse. Não foi criado: ele sempre existiu pois é o próprio Deus.

Ainda no versículo 1 do primeiro capítulo, João diz que "aquele que é a Palavra já existia". O autor está se referindo a Jesus quando usa o substantivo "Palavra", com letra maiúscula, sugerindo um nome próprio. Assim, João declara que Jesus é a Palavra. Ele segue afirmando claramente que "a Palavra estava com Deus, e a Palavra era Deus". João mantém firme seu relato não somente no evangelho, mas também em suas cartas (1João, 2João e 3João). Ele sempre se refere a Jesus como aquele que é a Palavra.

Antes de continuarmos, é importante dar uma explicação. A Bíblia, como a temos em mãos, é uma tradução, e toda tradução perde um pouco da essência do texto original. Cremos que Deus, em sua soberania, usa todas as traduções para falar com as pessoas em sua língua materna, mas consultar a Bíblia no idioma original em que foi escrita nos ajuda a compreender mais profundamente o que Deus tem a nos ensinar.

A Bíblia é dividida em duas partes: o Antigo Testamento e o Novo Testamento. O Antigo Testamento foi escrito em hebraico, com algumas partes em aramaico; o Novo, foi escrito em grego. Por isso, neste livro, algumas palavras em grego serão explicadas de forma simples para apreciarmos ainda mais o que Deus tem a nos ensinar por meio de sua Palavra.

O termo grego que João usou, traduzido por "Palavra", foi *logos*, o que aponta para verdades absolutas a respeito de Jesus que formam a base de toda a nossa existência:

No princípio, aquele que é o LOGOS já existia. O LOGOS estava com Deus e o LOGOS era Deus (João 1:1).

A FILOSOFIA APONTA PARA O *LOGOS*

Para entender melhor o significado de *logos*, precisamos considerar alguns fatos do contexto em que João viveu. Este evangelho foi escrito há mais de dois mil anos, provavelmente na cidade de Éfeso, onde seu autor viveu por muito tempo. Era uma cidade importante da Ásia Menor, um celeiro de vários pensadores e filósofos.

Na cidade de Éfeso havia a biblioteca de Celso,[2] um grande e lindo prédio (cujas ruínas estão lá até hoje) que guardava o conhecimento sobre a humanidade desenvolvido até aquele tempo. Sendo assim, quem quisesse expandir seu pensamento deveria se tornar um frequentador regular daquele local.

Um dos autores importantes da época era Heráclito de Éfeso, um filósofo que desenvolveu o conceito de *logos* quinhentos anos antes de João. Heráclito escreveu:

Logos é uma racionalidade que governa a natureza, uma harmonia íntima que parece organizar a physis e trazer sentido à vida.[3]

O conceito proposto por Heráclito causou uma ruptura com o pensamento filosófico da época. Até então, os grandes pensadores compreendiam a origem da humanidade e o sentido da vida a partir de mitos,[4] como o dos deuses do Olimpo e tantos outros que existiam (e ainda existem), frutos de mera imaginação humana. Muitas pessoas acreditavam que os deuses e deusas da mitologia eram reais, e elas interpretavam o mundo a partir dessas crenças.

Heráclito rompeu com os mitos e a imaginação e decidiu usar a razão. Olhou para o planeta Terra e percebeu que existia algo por trás de tudo, uma racionalidade que regia e organizava a natureza, colocando ordem no universo. A isso ele deu o nome de *logos*.

Séculos depois de Heráclito, surgiu o pensamento científico,[5] que estabelece suas bases na razão, e como desdobramento, o movimento filosófico também abraçou a racionalidade.

Assim, de forma inovadora e à frente de seu tempo, Heráclito descobriu que algo governava a natureza, uma harmonia íntima que parecia organizar a *physis* — tudo o que é físico; que nasce, cresce e que perece; tudo o que podemos ver e tocar.

A CIÊNCIA APONTA PARA O *LOGOS*

Todas as coisas físicas são governadas por algo maior e transcendente ao todo, e é isso que dá sentido à vida. É consenso na ciência que realmente existe algo por trás de tudo, mas alguns vão dizer que é uma sequência de acasos, outros, que é uma força ou uma energia... No entanto, nenhuma dessas definições é capaz de trazer sentido à existência: somente naquele que é a origem de todas as coisas, que sustenta todas as coisas e que está conduzindo a criação para um determinado fim é que se pode encontrar o significado da vida (Romanos 11:36).

Muitos séculos depois da proposta do *logos*, o cientista Isaac Newton, um dos nomes mais importantes da ciência, descobriu a lei da gravidade,[6] bem como outras leis absolutas que regem o universo. Ele, porém, afirmou que a gravidade explica o movimento dos planetas, mas não pode explicar quem colocou os planetas em movimento.[7]

Newton era físico, matemático e teólogo, ou seja, um cientista cristão. Entre todas as descobertas que fez, pôde concluir o seguinte:

A minha última e maior descoberta
é que o universo é governado por um
ser que tudo pode.[8]

Uau! Muito mais importante do que seus avanços relevantes na ciência, Newton afirma que sua maior descoberta foi compreender que Deus governa o universo. Isso nos mostra que fé e ciência não são inimigas, pelo contrário, caminham juntas. A própria ciência aponta para algo maior, como disse o físico e cosmólogo britânico Stephen Hawking:

Quanto mais examinamos o universo,
tanto mais verificamos que não é de

jeito nenhum arbitrário, mas obedece a certas leis bem-definidas que regulam diferentes áreas. Parece muito razoável supor que existam alguns princípios unificadores, de modo que todas as leis [do universo] sejam parte de uma lei maior. Quanto mais descobrimos sobre o universo, mais vemos que ele é governado por leis racionais. E uma pergunta continua: por que o universo se dá ao trabalho de existir? Se quiserem, vocês podem definir Deus como a resposta para essa pergunta. É difícil discutir o início do universo sem mencionar o conceito de Deus.[9]

Apesar de não ser cristão, Stephen Hawking afirmava que o universo não é arbitrário, mas se submete a algo. Ele percebeu que em tudo havia ordem — tudo foi criado com sincronia, tudo se encaixa de maneira perfeita. As leis que regem o universo são muito bem definidas! Não são leis causais, mas racionais, pensadas e planejadas.

Esse entendimento é consenso entre boa parte dos estudiosos. O teólogo e escritor Norman Geisler, no livro *Não tenho fé suficiente para ser ateu*, disse:

Para crer que o universo veio à existência sem alguém que o planejasse é preciso de mais fé do que eu tenho.[10]

Para ser ateu é preciso muita fé, pois quem estuda o funcionamento do universo se depara com as leis racionais que o regem, e, diante dessa verdade absoluta, é impossível negar a existência de Deus. Dentre tantos assuntos estudados pela ciência, existem quatro questões principais que apontam claramente para a existência do *logos* como a razão que origina e rege tudo o que conhecemos:

1. **A origem do universo:** Como algo surgiu a partir do nada? Foi a explosão do Big Bang a causa inicial? Toda a matéria se organizou a partir do acaso para formar o mundo que conhecemos hoje?

É necessário haver uma causa. Numa tentativa de encontrar respostas, Charles Darwin desenvolveu a teoria da evolução das espécies[11] que até hoje não foi comprovada, mas é aceita por todo o mundo — e que, como Geisler afirmou, demanda mais fé do que a crença na existência de Deus.

2. **Sintonia Fina:**[12] Todo o universo é regido por leis extraordinariamente racionais que podem ser observadas pela harmonia dos planetas, a duração dos dias, os movimentos de rotação e translação da Terra... Tudo é exato!

Nosso planeta está no lugar em que deveria estar para que houvesse vida. Se ele estivesse um pouco mais próximo do Sol, nós queimaríamos, e se estivesse um pouco mais distante, morreríamos congelados. A Terra também está na posição exata em relação à Lua, que gira em torno da Terra na disposição certa para que haja as quatro estações. As leis que regem a Terra também são perfeitas. Se a força da gravidade fosse um pouco mais intensa, seríamos esmagados; se fosse menos intensa, sairíamos flutuando. Esses são apenas alguns exemplos para demonstrar que as leis que regem o universo são extremamente matemáticas e racionais, com encaixe e harmonia perfeitos. É impossível que toda essa ordem aconteça de forma aleatória.

3. **Design intencional:**[13] Os cientistas olharam para a criação e perceberam a intencionalidade em toda a natureza. É possível percebê-la no design dos animais, das plantas, dos seres humanos, assim como na forma com que um bebê é gerado no útero de uma mulher e vem a nascer. Se você parar um pouco para refletir, ficará maravilhado em perceber que há perfeição em cada detalhe da criação. São recados que Deus nos deixou para compreendermos que há algo muito maior do que nós, e ao entender isso, o buscássemos.

4. **Código genético:**[14] O DNA é um composto orgânico que armazena e transmite as informações genéticas que coordenam o funcionamento e o desenvolvimento de cada ser vivo no planeta. Há uma sequência única para cada indivíduo, que faz com que nenhum ser humano neste planeta seja exatamente idêntico a outro, nem mesmo no caso de gêmeos. Cada pessoa é única, com características únicas. É impossível olhar para o DNA e considerá-lo fruto do acaso.

Apesar de muitos acreditarem que por detrás da criação existe "algo" que orquestre todas as coisas, existem pessoas que acreditam que o universo é fruto do acaso ou, ainda, uma enorme coincidência.

É como o exemplo do caminhão, que gosto de contar. Certo dia, dirigindo em alta velocidade na estrada, um motorista perdeu o controle do seu caminhão e bateu numa barreira, causando uma grande explosão. Os bombeiros chegaram logo depois e apagavam o fogo quando, em meio às ferragens, encontraram um bolo de chocolate coberto de brigadeiro e cerejas.

Todos ficaram espantados e chocados com aquele "fenômeno", e quiseram uma explicação. Muitos ousaram opinar. Uma pessoa veio com a seguinte teoria: "Acredito que o caminhão estava transportando alimentos: farinha, leite, açúcar e chocolate em pó. As embalagens caíram e se abriram, os ingredientes se misturaram na medida correta e se transformaram em bolo. O leite condensado foi misteriosamente aquecido, na temperatura certa e pelo tempo correto, até virar brigadeiro e cair por cima do bolo. No final de tudo, após uma série de incríveis coincidências, as cerejas também caíram em cima, e *boom!*: o bolo ficou pronto!". Todos disseram: "Uau, essa teoria é incrível!".

Mas alguém discordou e expôs outra teoria: "Eu acredito que esse bolo foi feito por um confeiteiro incrivelmente habilidoso, que sabia usar e combinar os ingredientes na medida exata para obter um resultado preciso. Ele cuidou de cada detalhe e protegeu o bolo ao guardá-lo no caminhão. Assim, mesmo com o acidente, o bolo continuou intacto e preservado". Mas as pessoas não gostaram da teoria, consideraram-na absurda.

Em qual dessas teorias é mais difícil de acreditar? Para qual delas é preciso ter mais fé?

Eis a diferença entre a teoria da evolução e a teoria da criação (ou criacionismo). Nós cremos que há um Deus poderoso por trás de tudo. É o que João está dizendo quando afirma que no princípio Jesus estava lá, pois ele é o *logos*.

Jesus é a razão por trás de tudo! Ele governa todas as coisas, ele criou as leis e colocou cada coisa em seu lugar. Ele criou cada um de nós.

O ANSEIO DO CORAÇÃO HUMANO APONTA PARA O *LOGOS*

A nossa vida não é fruto do acaso, tampouco um acidente. Não somos descendentes de uma ameba. A nossa identidade, nossa maneira de agir, nosso temperamento, o jeito peculiar de cada indivíduo, fazem parte do trabalho do criador, pois fomos gerados e criados primeiramente nele.

JESUS É DEUS

Ele existia no princípio com Deus.
Por mei dele Deus criou todas as coisas,
e sem ele nada foi criado (João 1:2-3).

Jesus é o criador! João fala de boca cheia porque participou da caminhada de Jesus aqui na terra, reconhecendo o Deus vivo encarnado, aquele que fez todas as coisas.

Proclamamos a vocês aquele
que existia desde o princípio,
aquele que ouvimos e vimos com
nossos próprios olhos e tocamos
com nossas próprias mãos. Ele é a
Palavra [logos] *da vida* (1 João 1:1).

Durante uma tempestade, João estava com Jesus e os discípulos em um barco. Aterrorizados, enquanto o barco era fustigado pelas ondas, eles acordaram o Mestre: "Jesus, nós vamos morrer!". Ele se levantou, repreendeu o vento e o mar, e ambos se acalmaram. Os discípulos se questionaram quem era esse homem que tinha poder para controlar as forças da natureza. Não se sabe se naquele momento os discípulos chegaram a uma resposta razoável para seu espanto com o poder de Jesus, mas com toda certeza, mais tarde, tiveram a lucidez de perceber que ninguém mais seria capaz de controlar o vento e o mar senão aquele que os criou.

37

Jesus é o *logos* que criou toda a natureza, que criou as leis da física. Tudo o que existe se submete a ele: Jesus é Deus!

O ser humano está em busca da verdade: "O que está por trás de tudo? Qual é o sentido da vida?". Você já fez tal pergunta? Ao longo da história, no anseio por responder essas questões existenciais, a humanidade tentou encontrar um deus. Há algo dentro de nós dizendo que existe algo mais, basta olhar ao nosso redor, ver e reconhecer. No entanto, nessa busca desesperada e constante por uma verdade transcendente que desse sentido à vida, que permitisse a compreensão de si mesmas e do mundo ao seu redor, as pessoas "encontraram" suas próprias divindades e, consequentemente, se afastaram do Deus verdadeiro.

Quando visitei Bali, cujo nome significa "ilha dos deuses", na Indonésia, fiquei apavorado porque nunca havia visto tantos ídolos. Cada casa tinha um deus e um templo de adoração à entidade escolhida. O ser humano, desde a Antiguidade, tenta descobrir quem é Deus. E Jesus entra na história para dizer: "Eu sou Deus! Não é o sol, não é a lua nem o mar, a terra ou o fogo. Fui eu que criei essas coisas, portanto, sou maior do que todas elas. Eu sou Deus! Eu sou o *logos*! Eu Sou!".

> *O Filho é a imagem do Deus invisível*
> *e é supremo sobre toda a criação*
> (Colossenses 1:15).

JESUS É DEUS

Todas as coisas foram criadas por JESUS, portanto, só existem e só fazem sentido nele! O Filho é a
expressão exata do Pai. Jesus é o *logos* presente na
criação, é a racionalidade que governa o universo.
Jesus é Deus! E sendo Deus, assumiu forma humana
para vir a este mundo lhe dar a vida.

O FILHO É
A **IMAGEM
DO DEUS
INVISÍVEL**
E É SUPREMO
SOBRE TODA
A CRIAÇÃO.

COLOSSENSES 1:15

PERGUNTAS
PARA REFLETIR

1 Em sua busca espiritual, qual é a importância da revelação de Jesus como Deus?

2 Como a compreensão de Jesus como Deus influencia e transforma seu relacionamento pessoal com ele?

3 De que maneira a compreensão de Jesus como Deus desafia ou fortalece suas concepções anteriores sobre ele?

CAPÍTULO 2

JESUS
É VIDA

AQUELE QUE É A PALAVRA POSSUÍA A VIDA,
E SUA VIDA TROUXE LUZ A TODOS. A LUZ BRILHA NA ESCURIDÃO,
E A ESCURIDÃO NUNCA CONSEGUIU APAGÁ-LA.
JOÃO 1:4-5

O *logos* não é só uma força ou uma energia. Ele é uma pessoa, e veio ao mundo tornando-se carne e osso. João o viu enquanto o *logos* habitou nesta terra. Jesus se revelou a nós dizendo que ele é o caminho que procurávamos, a verdade que tanto buscávamos e a vida que tanto queríamos.

> *Assim, a Palavra se tornou ser*
> *humano, carne e osso, e habitou*
> *entre nós* (João 1:14a).

O próprio Deus veio ao mundo para se revelar a nós. O Deus Criador, que governa o universo, entrou na história e veio viver entre nós. O Deus infinito, o Deus transcendente, adentra esse espaço finito e se torna humano, esvaziando-se a si mesmo e assumindo a forma de servo.

> *Embora sendo Deus, não considerou que*
> *ser igual a Deus fosse algo a que devesse*
> *se apegar. Em vez disso, esvaziou a si*
> *mesmo; assumiu a posição de escravo e*
> *nasceu como ser humano. Quando veio*
> *em forma humana, humilhou-se e foi*

obediente até a morte, e morte de cruz
(Filipenses 2:6-8).

Imagine o Criador, o Deus todo-poderoso — que pode todas as coisas, que governa o universo, que é adorado dia e noite por corais de anjos — esvaziando-se de toda a sua glória e tornando-se um mero ser humano, como nós somos, simples e fisicamente limitado! Através dessa atitude, ele nos demonstrou seu amor. E você sabe qual é a razão?

Eu vim para lhes dar vida, uma vida plena,
que satisfaz (João 10:10b).

Além de ser Deus, Jesus é vida. Ele veio ao mundo para compartilhá-la conosco. A palavra "vida" expressa nesse contexto é, em grego, *zoe*, e foi usada 36 vezes no Evangelho de João. O que a torna bastante interessante é que ela não é a palavra mais comum para se tratar de vida. No grego existem várias palavras para descrever a vida, e as mais comuns entre elas são *biós* e *psique*, que significam vida interior, alma, pensamento, sentimentos e emoções. Das três palavras que poderiam ter sido usadas para traduzir a ideia de vida, João escolheu a mais incomum: *zoe*. Ele usou propositalmente essa definição porque estava falando de uma vida diferente: *zoe* é a vida divina!

Jesus veio para nos dar a vida *zoe*, ou melhor dizendo, uma vida plena, que satisfaz. Sabe aquela busca pela tal felicidade, o anseio e a insatisfação crônica

JESUS SE REVELOU A NÓS DIZENDO QUE ELE É O CAMINHO QUE BUSCÁVAMOS E A VIDA QUE TANTO QUERÍAMOS.

EU VIM PARA LHES DAR VIDA, **UMA VIDA PLENA, QUE SATISFAZ.**

JOÃO 10:10

dentro de nós que gritam constantemente desejando ser saciados? Eles existem enquanto buscamos bens materiais, dinheiro, sucesso, reconhecimento e afirmação. Nós queremos encontrar a vida plena que satisfaz, mas não conseguimos! Sabe por quê? Porque ela não está em nada que o mundo possa oferecer. Essa vida é a vida que Jesus veio para nos trazer. *Zoe* é a vida que vem de Deus, a verdadeira vida. João algumas vezes usa essa palavra "vida eterna" fazendo referência a uma vida maior e melhor, cheia de significado. *Zoe* é uma vida abundante, um transbordar, assim como Davi disse no salmo 23: "meu cálice transborda". Quando Jesus estava no poço diante da mulher samaritana, a qual buscava saciar a sede de sua alma com relacionamentos fracassados, ele disse o seguinte:

> *"Quem bebe desta água logo terá sede outra vez, mas quem bebe da água que eu dou nunca mais terá sede. Ela se torna uma fonte que brota dentro dele e lhe dá a vida eterna".*
> *"Por favor, senhor, dê-me dessa água!", disse a mulher. "Assim eu nunca mais terei sede nem precisarei vir aqui para tirar água"* (João 4:7-15).

A mulher samaritana continuava com sede, pois buscava em relacionamentos aquilo que só Jesus poderia lhe dar. Talvez esse seja o mesmo motivo pelo qual

DENTRO DO INTERIOR DO HOMEM EXISTE UM VAZIO DO **TAMANHO DE DEUS.**

BLAISE PASCAL

você anda tão insatisfeito. Jesus é a água da vida, o único que pode matar a sede da nossa alma por completo, o único que pode satisfazer nossa busca por sentido.

Isso significa que, se focarmos apenas na vida *biós*, nos alimentando bem e cuidando do nosso corpo, ou apenas na *psique*, cuidando de nossas emoções, não estaremos tratando a fonte, porque a fonte da vida é espiritual — é *zoe*!

João escreve o seu evangelho para ressaltar que aquilo pelo que nosso coração clama, talvez até de forma inconsciente, é a vida *zoe*. Blaise Pascal foi um matemático, escritor, físico, inventor, filósofo e teólogo católico francês que descreve bem tal necessidade. Ele disse:

> *Dentro do interior do homem existe*
> *um vazio do tamanho de Deus.*[15]

Só Jesus pode preencher o vazio porque ele é a fonte da vida em abundância, e quer preenchê-lo com essa vida. Certamente, o mundo não pode lhe dar o que você está buscando; só Jesus Cristo nos dá vida plena.

> *Então Deus disse: "Haja luz", e houve luz.*
> *E Deus viu que a luz era boa, e separou*
> *a luz da escuridão. Deus chamou a luz*
> *de "dia" e a escuridão de "noite". A noite*
> *passou e veio a manhã, encerrando o*
> *primeiro dia* (Gênesis 1:3-5).

Junto com a vida vem a luz, que afasta a escuridão. Assim, Deus separa o dia da noite, e é com a luz que ele deu forma para todas as coisas. Quando Deus ordenou que houvesse luz, o caos do universo, sem forma e vazio, ganhou forma, harmonia, significado e sentido.

Tudo aconteceu a partir da luz, e muito provavelmente esse é o motivo pelo qual muitas pessoas andam perdidas, com a vida em caos, sem forma, vazia e sem significado. Exatamente como o universo, antes de Jesus dizer: "Haja luz!".

No entanto, quando a vida entra em nós e a experimentamos, ela traz luz. Em outras palavras, quando Jesus Cristo entra em nossa vida, ele diz: "Haja luz!".

Assim, a luz de Cristo dissipa a escuridão, e as trevas não podem lhe resistir porque a luz é mais forte. O caos da nossa vida é transformado e somos restaurados, pois tudo ganha um novo significado, e a vida, um novo sentido. As trevas e a escuridão jamais conseguirão apagar o que Jesus realizou.

Jesus veio a este mundo nos dar vida! No entanto, por causa do pecado, a vida só poderia nos ser concedida por meio da morte — a morte do Cordeiro de Deus.

O MUNDO NÃO PODE LHE DAR O QUE VOCÊ ESTÁ BUSCANDO; SÓ **JESUS CRISTO** NOS DÁ VIDA PLENA.

PERGUNTAS
PARA REFLETIR

1 Com o que você já tentou preencher o vazio do seu coração?

2 "Dentro do interior do homem existe um vazio do tamanho de Deus", disse Blaise Pascal. Você concorda com essa frase? Por quê?

3 O que esse capítulo fez você repensar sobre sua vida até aqui?

CAPÍTULO 3

JESUS
É O CORDEIRO
DE DEUS

NO DIA SEGUINTE, JOÃO VIU JESUS CAMINHANDO
EM SUA DIREÇÃO E DISSE: "VEJAM! É O CORDEIRO
DE DEUS, QUE TIRA O PECADO DO MUNDO!".
JOÃO 1:29

Jesus entrou na história para nos dar vida. A Bíblia nos diz que Jesus era cheio de graça e de verdade (João 1:14). Ele não veio para nos condenar, mas para nos salvar. Ele não veio para nos acusar, mas para nos restaurar, mesmo sabendo quem somos.

Ao contrário dos deuses violentos e sanguinários concebidos pela mente humana ao longo dos séculos, o único e verdadeiro Deus entra na história assumindo a forma humana para nos servir e trazer uma mensagem:

Eu amo você!

Porque Deus amou tanto o mundo que deu seu Filho único, para que todo o que nele crer não pereça, mas tenha a vida eterna. Deus enviou seu Filho ao mundo não para condenar o mundo, mas para salvá-lo por meio dele (João 3:16-17).

Jesus não cobrou nada de nós, antes, pagou o preço dos nossos pecados em nosso lugar. Ele veio em verdade e graça para nos acolher e receber, não por algo que nós tenhamos feito, mas pelo que ele iria realizar na cruz.

DEUS TANTO AMOU O MUNDO QUE DEU SEU FILHO ÚNICO, PARA QUE TODO O QUE NELE CRER NÃO PEREÇA, MAS TENHA **A VIDA ETERNA.**

JOÃO 3:16

O Salvador vem e toca em quem antes não era tocado. Ele fala com quem não se deveria falar. Ele quebra todos os conceitos, paradigmas e ideias erradas que havia sobre Deus, mostrando que o Deus verdadeiro era muito diferente do deus concebido pela mente humana. Ninguém poderia imaginar um Deus que, sendo todo-poderoso, poderia ser todo-amoroso. O amor se manifestou, concedendo, através da cruz, o perdão pelos nossos pecados. É isso que chamamos de "salvação" — estávamos afastados de Deus por causa de nosso pecado, e Cristo veio para nos levar de volta para ele.

Jesus se ofereceu voluntariamente em sacrifício na cruz como o Cordeiro de Deus. Para compreender essa figura, precisaremos considerar algumas informações sobre o contexto bíblico em que ela foi usada, e sobre os símbolos do Antigo Testamento para os quais ela aponta.

Na cultura de Israel, o cordeiro era sacrificado como pagamento pelos pecados do povo. Era isso que João Batista tinha em mente quando disse que Jesus é o "Cordeiro de Deus que tira o pecado do mundo". João Batista foi enviado para anunciar que Jesus estava chegando e para preparar o caminho, as pessoas e o coração delas para Cristo. Quando ele se referiu a Jesus dessa forma, estava trazendo à tona uma verdade preciosa que revela a realidade para a qual a lei do Antigo Testamento apontava.

O sangue de cordeiros não podia cobrir pecados, mas eram símbolos que apontavam para o verdadeiro sacrifício capaz de conceder o perdão: o sacrifício de Jesus!

João apresentou Jesus como o *Messias*, uma palavra hebraica que significa "escolhido". Essa palavra tem um termo correspondente em grego: "Cristo". Assim, quando falamos "Jesus Cristo", não estamos dizendo apenas o nome de Jesus, mas seu título também. Seria como dizer: Jesus, o escolhido!

O sinédrio, o tribunal religioso judaico, ouviu falar que João estava pregando e falando do Messias. Muitos confundiram o próprio João Batista com o Messias. Como, naquela época, muitos apareciam dizendo ser o escolhido, havia um comitê judaico responsável por averiguar a veracidade dessas afirmações. Por isso, um comitê foi mandado para falar com João Batista a fim de que ele esclarecesse suas declarações. Ele prontamente disse que não era o Messias, mas afirmou que este já estava no meio deles.

O comitê investigava o Messias: avaliava se os milagres eram reais, se o indivíduo em questão era da linhagem real de Davi, se havia nascido na cidade de Belém, e se satisfazia tantas outras profecias do Antigo Testamento acerca do Messias. Um dia depois da conversa do comitê com João Batista, Jesus aparece e o próprio João Batista, apontando para Jesus, diz: "É ele, o Cordeiro de Deus!".

As pessoas não estavam preparadas para um cordeiro que morreria como sacrifício, elas esperavam o Leão da tribo de Judá: forte, poderoso e vitorioso. Queriam um rei imponente, coroado com ouro e pedras preciosas, e não foram capazes de reconhecer um rei vestido de humildade e coroado com espinhos.

JESUS É O CORDEIRO DE DEUS

Contrariando todas as expectativas de corações humanos endurecidos, o Messias veio como um cordeiro, uma figura frágil e indefesa, que é entregue em sacrifício. Pela lei do Antigo Testamento, a única forma de se relacionar com Deus era por meio do sacrifício de um cordeiro. Entre Deus e os seres humanos sempre houve um cordeiro. E Cristo entrou na história para oferecer o sacrifício permanente e perfeito, que seria suficiente para toda a humanidade:

> *Ele foi levado como cordeiro para o*
> *matadouro; como ovelha muda diante*
> *dos tosquiadores, não abriu a boca*
> (Isaías 53:7).

Jesus derramou seu sangue como um cordeiro. Seu sangue perdoou todos os pecados, não há mais nada para ser pago! Por causa dele, agora podemos ter um relacionamento íntimo e profundo com Deus. Jesus é o caminho, a verdade e a vida, o único capaz de nos levar até o Pai.

No templo judaico, o lugar em que eram realizados os sacrifícios dos cordeiros ficava separado por um véu, pois aquele era um lugar santo, onde o próprio Deus habitava. Pecadores não poderiam ter acesso ao Deus santo; somente o sumo sacerdote, um mediador entre Deus e o povo, podia entrar ali mediante o derramamento de sangue — o preço do pecado —, e assim, interceder pelo povo.

Quando Cristo morreu na cruz, esse véu foi rasgado, dando-nos acesso direto ao Pai. A partir de então, não precisamos de nenhum aparato religioso nem de intermediário para adorar a Deus. Jesus ofereceu um sacrifício completo e eterno, como o último e suficiente sumo sacerdote.

Os cordeiros sacrificados no templo eram apenas uma sombra do Cordeiro perfeito. Apontavam para aquele que estava por vir, o verdadeiro Cordeiro de Deus que tira o pecado do mundo! Ele morreu por nós quando ainda éramos pecadores, e essa é a prova do seu amor incondicional.

Eu
vo

amo
ê!

Jesus

PERGUNTAS
PARA REFLETIR

1 Como você se sente ao pensar que Deus perdoou todos os seus pecados?

2 Qual a diferença entre conhecer Deus e se relacionar com ele?

3 Com quem você pode compartilhar o amor de Jesus essa semana?

CAPÍTULO 4

JESUS
É AMOR
INCONDICIONAL

ANTES DA FESTA DA PÁSCOA, JESUS SABIA
QUE HAVIA CHEGADO SUA HORA DE DEIXAR
ESTE MUNDO E VOLTAR PARA O PAI.
JOÃO 13:1a

A Páscoa havia chegado. Quando todo o povo judeu preparasse seus cordeiros para ofertar ao Senhor, como era costume na ocasião, o Cordeiro de Deus seria entregue para ser morto. Este era o ápice de sua vinda, o cumprimento de sua missão. Jesus sabia muito bem o que tinha que fazer e, por isso, entregou-se voluntariamente para ser morto numa cruz, demonstrando seu amor incondicional por nós por meio de uma atitude fiel e consciente.

Um pouco antes disso, na quinta-feira (dia anterior à crucificação), Jesus reuniu os doze discípulos para comer. Nos momentos que antecederiam sua morte, Jesus tinha preciosas lições sobre amor para ensinar aos seus.

AMOR QUE SERVE

Jesus sabia que o Pai lhe dera autoridade sobre todas as coisas e que viera de Deus e voltaria para Deus. Assim, levantou-se da mesa, tirou a capa e enrolou uma toalha na cintura. Depois, derramou água numa bacia e começou a lavar os pés de

seus discípulos, enxugando-os com
a toalha que estava em sua cintura
(João 13:3-5).

Jesus sabia muito bem quem ele era: a maior autoridade no céu e na terra (Mateus 28:20), uma vez que todas as coisas foram criadas por ele e para ele (Colossenses 1:16). Mesmo sendo o criador e possuindo todo poder e autoridade, ele lavou os pés dos discípulos antes do jantar. Naquela época, não havia banheiro dentro das casas. Assim, as pessoas não tomavam banho diariamente, somente em ocasiões específicas como, por exemplo, um jantar especial.

Provavelmente, os discípulos foram se lavar em banhos públicos antes de se encontrarem com Jesus. Mas nem todas as vias públicas eram pavimentadas, havia muita terra e poeira. Por isso, mesmo tendo tomado banho, os pés deles deveriam estar muito sujos, pois calçavam-se com sandálias. Outro detalhe importante é que nas casas havia um servo responsável por lavar os pés dos convidados. Era uma posição tão degradante na cultura judaica que os rabinos diziam que nenhum judeu deveria ser humilhado dessa forma. Para o espanto de todos os que estavam ali, o criador do universo esvaziou a si mesmo e se colocou na posição do mais baixo escravo.

Quando Jesus chegou a Simão Pedro,
este lhe disse: "O Senhor vai lavar os
meus pés?". Jesus respondeu: "Você não

entende agora o que estou fazendo, mas algum dia entenderá". "Lavar os meus pés? De jeito nenhum!", protestou Pedro (João 13:6-8a).

Os discípulos se assustaram com a postura que Jesus tomou. O Mestre estava se humilhando ao se dispor a lavar os pés imundos de seus seguidores.

Jesus respondeu: "Se eu não os lavar, você não terá comunhão comigo" (João 13:8b).

Jesus aproveitou a oportunidade para ensinar o sentido daquilo que ele faria na cruz. Assim como eles não poderiam comer sem lavar os pés antes da refeição, não poderiam se relacionar com Deus se Jesus não os lavasse completamente, por meio do seu sacrifício. A única forma de eles se sentarem à mesa era tendo pés limpos; da mesma forma, nós só podemos nos aproximar e nos relacionar com Deus se os nossos pecados forem perdoados e purificados por meio do sangue de Jesus. O que o Filho de Deus mais desejava (e ainda deseja) é um relacionamento conosco.

Simão Pedro exclamou: "Senhor, então lave também minhas mãos e minha cabeça, e não somente os pés!". Jesus respondeu: "A pessoa que tomou banho completo só precisa lavar os pés para ficar totalmente limpa. E vocês estão limpos, mas nem todos" (João 13:9).

Jesus usa duas analogias nesse versículo. A primeira é a do "banho completo", que se refere à salvação: quando recebemos Jesus como nosso Salvador e reconhecemos que somos pecadores, a Bíblia diz que somos salvos, transformados e lavados de nossos pecados. Apocalipse 7:14 traz a visão de um povo que se aproxima do trono de Deus e, segundo o texto, eles "lavaram e branquearam suas vestes no sangue do Cordeiro".

Assim, através desse lavar, fomos perdoados de todos os nossos pecados do passado, do presente e daqueles que ainda iremos cometer, a fim de que nos tornemos mais alvos do que a neve diante de Deus. Isso significa um "banho completo", que aponta para o batismo nas águas.

Já a analogia de "lavar os pés" significa que quem já tomou banho não precisa tomar banho de novo. Quem foi batizado não precisa se batizar de novo. Salvo uma vez, salvo para sempre. A salvação é para sempre. No entanto, a transformação é um processo. Como nos ensina o apóstolo Paulo:

> *Tenho certeza de que aquele que começou a boa obra em vocês irá completá-la até o dia em que Cristo Jesus voltar* (Filipenses 1:6).

Do dia em que nos salvou, ou seja, quando Jesus começou a obra, até o dia da glorificação, quando completará a obra, muitas vezes sujaremos os pés, falharemos, cometeremos erros e pecaremos.

Assim, quando errarmos, devemos reconhecer e pedir perdão a Deus, pois Jesus estará sempre com a bacia pronta para lavar os nossos pés e nos perdoar.

> Mas, se confessarmos nossos pecados,
> ele é fiel e justo para perdoar nossos
> pecados e nos purificar de toda injustiça
> (1João 1:9).

Não há pecado que não possa ser perdoado por Jesus. Que amor é esse?

AMOR À MESA

> Estava na hora do jantar, e o diabo já
> havia instigado Judas, filho de Simão
> Iscariotes, a trair Jesus (João 13:2).

Com os pés lavados pelo Mestre, os discípulos seguiram para a refeição. A frase "na hora do jantar", no versículo acima, refere-se ao momento que conhecemos como "última ceia". Quando a mencionamos, rapidamente vem à mente a famosa pintura de Leonardo da Vinci que retrata Jesus e seus discípulos ao redor de uma grande mesa. Muitas representações desse momento surgiram posteriormente. Por que ele é tão marcante? Porque a última ceia nos apresenta uma mesa composta por pessoas imperfeitas na presença de um Deus que é perfeito.

Durante o jantar de "despedida", diante da sua morte iminente, Jesus apresentou duras verdades aos discípulos a fim de prepará-los para o que estava por vir. Foi um jantar um tanto indigesto, pois o Mestre trouxe à tona questões difíceis, para as quais os discípulos não estavam preparados, deixando-os assustados e calados. Sabe quando alguém faz um comentário inconveniente e o ambiente fica pesado? Esse foi o clima na última ceia.

Jesus revelou que seria traído por Judas, que Pedro iria negá-lo, que os discípulos o abandonariam e se esconderiam com medo, que ele sofreria profundamente no Getsêmani, que seria preso, julgado, açoitado, coroado com espinhos e crucificado. Diante de tantas informações, os discípulos ficaram perdidos.

Os relatos posteriores de alguns deles mostram ter sido necessário que sua fé amadurecesse para então, depois dos eventos que se seguiram à morte e ressurreição de Jesus, compreenderem o significado espiritual de tudo o que Jesus havia dito ali. Um dos fatos interessantes desse jantar é que Jesus afirmou claramente que Judas iria traí-lo, mas nem mesmo isso os discípulos entenderam, dentre tudo o que o Mestre falou.

Eu sempre me perguntei: como os discípulos poderiam ser tão ingênuos e não perceber que Jesus estava chamando Judas de traidor? Só compreendemos isso quando entendemos a cultura daquela época.

NÃO HÁ PECADO QUE NÃO POSSA SER PERDOADO POR JESUS.

QUE AMOR É ESSE?

AQUI ESTÁ A LISTA
DE TODOS OS SEUS
PECADOS NÃO PERDOADOS.

1.
2.
3.
4.
5.
6.
7.
8.
9.
10.
11.
12.
13.
14.
15.
16.
17.

VIU COMO JESUS
PERDOA TODOS
OS PECADOS?!

A iniciativa de tomar o pão, molhá-lo na tigela e entregá-lo a alguém, na cultura judaica, era um sinal de honra. Na lógica humana, isso era confuso, pois como Jesus poderia honrar seu traidor? Na lógica do céu, mesmo sabendo da traição e da profunda dor que Judas lhe causaria, Jesus demonstrou seu amor a Judas, honrando-o diante de todos os discípulos. Que amor é esse?

AMOR QUE SE ENTREGA

Terminado o jantar, eles foram para um jardim chamado Getsêmani. Nesse lugar, o sofrimento de Jesus chegou ao ponto de ele suar sangue — um fenômeno raríssimo conhecido como hematidrose,[16] que acontece apenas em casos de profunda angústia e elevado estresse. É tão grande o abatimento da alma e tão intensa a sensação de pânico que o corpo começa a suar sangue.

No Getsêmani aconteceu a prisão de Jesus e, logo depois, seu julgamento. Ele foi condenado, açoitado e coroado com espinhos. Entregaram-no uma cruz para que ele a carregasse até o Monte do Gólgota, onde aconteceu a crucificação.

> *Então, Jesus sentiu profunda angústia*
> (João 13:21a).

Jesus se fez homem e sofreu de maneira que não somos capazes de imaginar. É por isso que ele

entende a nossa dor. Ele conhece o sentimento de traição, a angústia gerada pela rejeição, o abandono e o medo diante da morte.

Ele tinha amado seus discípulos durante seu ministério na terra, e os amou até o fim (João 13:1b).

Apesar de um momento tão difícil e angustiante, Jesus amou cada um de seus discípulos. Mesmo sabendo que seria traído e abandonado, amou aqueles homens até o fim, assim como ama a cada um de nós, apesar de quem somos.

Esse é o Deus que a mente humana não é capaz de imaginar, o Deus que decidiu pagar o preço e amar até o fim.

Pregos não prenderam Deus a uma cruz.
O amor o prendeu.[17]

Ouvi essa frase de Max Lucado em uma pregação ministrada por meu pai, James Mattes. Ela mostra que o amor foi responsável pela crucificação, afinal, Jesus poderia ter seguido um caminho diferente. Ele poderia ter deixado a cruz, pois aqueles pregos jamais conseguiriam segurar o Deus criador do universo. Jesus permaneceu na dor agonizante da morte de cruz, mesmo tendo poder para sair dali. Que amor é esse?

PREGOS NÃO PRENDERAM DEUS A UMA CRUZ. **O AMOR O PRENDEU.**

MAX LUCADO

NÓS AMAMOS PORQUE ELE NOS AMOU

Esse amor de Jesus é precioso e nos impulsiona a viver uma nova vida. O texto de 2Coríntios 5:14 diz que o amor de Cristo nos constrange. É pelo constrangimento desse amor que somos transformados. Sendo assim, a transformação da nossa vida não acontece por uma disposição mental aliada à disciplina nem por uma decisão nossa, ela ocorre somente à medida que conhecemos e experimentamos o amor de Jesus. A partir da reflexão e do constrangimento, as mudanças começam a acontecer.

Depois de lavar os pés deles, Jesus vestiu a capa novamente, retornou a seu lugar e perguntou: "Vocês entendem o que fiz? Vocês me chamam 'Mestre' e 'Senhor', e têm razão, porque eu sou" (João 13:12-13).

Jesus era chamado de Mestre pelos discípulos, pois os orientava com seus sábios conselhos. Para nós, Jesus continua sendo um grande Mestre, mas não somente isso. Ele também é Senhor!

A palavra usada por João para Senhor é *kyrios*, a mesma usada para o imperador romano. Cada César era um *kyrios* — um título quase divino —, e todos deveriam honrá-lo e submeter-se à autoridade dele. Jesus toma o título de César para si, afirmando que não é apenas um Mestre, mas é Senhor e divino. Assim, ele se apresenta como alguém maior que César.

Jesus não é apenas um guia espiritual. Ele é Senhor! Comprou o direito sobre nossa vida, assumindo o governo sobre nossas decisões e ações. A nossa vida não nos pertence mais, fomos comprados por seu sangue precioso. Um preço muito caro foi pago em nosso favor na cruz.

A nossa vida agora pertence ao Senhor, assim como tudo que faz parte dela — nossos desejos, sonhos e projetos. Por isso, devemos a ele toda submissão.

Foi com essa compreensão que os primeiros cristãos morreram nas arenas do século 1. Diferentes césares ficaram irritados com o fato de os cristãos afirmarem que Jesus era o *kyrios*; por isso, jogaram-nos aos leões e tigres a fim de que negassem Jesus e declarassem que César era o *kyrios*. No entanto, aqueles homens e mulheres preferiram perder a vida a negar essa verdade sobre Jesus.

Portanto, discípulo de Jesus não é alguém que acredita em Jesus e admira os seus ensinamentos, mas alguém que o segue e pratica o que ele ensinou.

> *E uma vez que eu, seu Senhor*
> *e Mestre, lavei seus pés, vocês*
> *devem lavar os pés uns dos outros.*
> *Eu lhes dei um exemplo a ser*
> *seguido. Façam como eu fiz a vocês*
> *(João 13:14-15).*

Jesus não veio ao mundo para começar uma religião, mas para resgatar e restaurar o relacionamento com aqueles que estavam perdidos. A atitude de Cristo nos mostra que a única forma de estabelecermos verdadeiros relacionamentos é através dessa iniciativa de nos esvaziarmos de nós mesmos, de amar altruisticamente, de servir e de se entregar pelo próximo. Se queremos ter comunhão e viver relações profundas e transformadoras, precisamos dobrar nossos joelhos e lavar os pés uns dos outros, ou então, ficaremos sozinhos. Precisamos nos esvaziar, morrer para nós mesmos, para que, assim, possamos participar da mesa e da comunhão.

Muitas pessoas não acham justo se humilhar de tal forma. Pensam: "Não é justo que só eu tenha que ceder, só eu tenha que perdoar, só eu tenha que investir nessa relação". Com todo o respeito, digo que se você não acha justo, é melhor se manter sozinho, com seu senso de justiça, de verdade, com sua razão, sua inteligência e seu orgulho, pois, para desfrutar da mesa e da comunhão é preciso amar e perdoar os que nos feriram e nos traíram. É preciso servir quem não merece. Pode parecer um absurdo, mas esse é o amor incondicional com o qual Jesus nos amou. Porque ele assim nos amou, encontramos nele a ajuda necessária para amarmos da mesma forma.

É somente com um coração humilde que se pode desfrutar de uma relação com Jesus e com as pessoas de forma plena. Jesus e o Pai trabalharam para que todos nós fôssemos resgatados em uma relação de intimidade. Um preço de sangue foi pago para que pudéssemos nos assentar à mesa com eles e com aqueles que nos cercam, para que fôssemos conhecidos pelo amor.

> *Já não os chamo de escravos, pois o senhor não faz confidências a seus escravos. Agora vocês são meus amigos, pois eu lhes disse tudo que o Pai me disse* (João 15:15).

Somos amigos de Jesus pelo que ele fez por nós, pelo seu amor derramado sobre a nossa vida. Isso inverte a lógica das nossas relações, inclusive a concepção que temos de hierarquia. Jesus é o dono de todas as coisas, e o universo está debaixo de seu poder e autoridade. Ainda assim, ele se esvazia e nos coloca acima dele.

Paulo entendeu a lógica do esvaziamento e nos orientou a fazermos o mesmo:

> *Não sejam egoístas, nem tentem impressionar ninguém. Sejam humildes e considerem os outros mais importantes que vocês. [...] Tenham a mesma atitude demonstrada por Cristo Jesus* (Filipenses 2:5).

==Segundo a lógica humana, a postura de Jesus não faz sentido, pois essa lógica acredita e promove o empoderamento. Jesus desafia essa mentalidade ao nos convidar para uma mudança de==

> **pensamento, segundo a qual a estima pelo outro é mais importante que a nossa autoestima.**

RELACIONAMENTOS TRANSFORMADOS PELO AMOR

O segredo para se relacionar bem está em nosso esvaziamento, e não em nosso empoderamento. Como seria o mundo se tivéssemos a mesma atitude de Jesus? Como seriam nossas amizades, nosso ambiente de trabalho, a relação familiar e nosso casamento, ou até mesmo a política de nosso país?

Pense dessa forma com relação ao casamento, por exemplo. A Bíblia nos diz que o marido é o cabeça da esposa. Liderar como "cabeça" não dá o direito de comandar e controlar, como muitos pensam, mas dá a responsabilidade de amar como Cristo amou a igreja. O casamento foi criado para refletir o relacionamento que Jesus tem com seu povo. Liderança é amor na lógica de Jesus. O marido lidera com amor sacrificial, dando a vida por sua esposa, esvaziando-se, cedendo e morrendo para si mesmo, assim como Jesus fez por nós.

A lógica do reino de Deus é diferente da lógica do mundo. No reino, o primeiro se coloca como último, e o maior se torna o menor de todos. Devemos aplicar essa lógica a todos os nossos relacionamentos. Que difícil, não? Esse é o caminho de Jesus, e ele nos convida a ser como ele.

*Os seus problemas não podem lhe
impedir de servir. Jesus lavou os pés dos
discípulos no caminho para a cruz.*[18]

Será que verdadeiramente somos discípulos? Judas ouviu todos os sermões de Jesus, testemunhou todos os milagres, participou do grupo (seleto e exclusivo) de discipulado, caminhou lado a lado com o Mestre e ocupou o cargo de tesoureiro. Contudo, não era verdadeiramente discípulo, porque não se sujeitou e não obedeceu a Jesus. Ele escolheu viver para si mesmo, priorizando o dinheiro e o status em meio às autoridades religiosas judaicas, preferindo o sucesso diante da sociedade, e não diante de Deus.

Se não estamos dispostos a abrir mão da nossa vida, a nos esvaziar e morrer, dobrar os joelhos e servir, lavar os pés dos que não merecem, amar e perdoar cada um que nos feriu, somos como Judas.

A boa notícia é que Jesus também ama os traidores e, assim, nos amará insistentemente até que enxerguemos. Não há nada que possamos fazer para ele nos amar mais, e não há nada que possamos fazer para ele nos amar menos, pois o seu amor é incondicional.

*Agora que vocês sabem estas coisas, serão
felizes se as praticarem* (João 13:17).

Precisamos colocar em prática o ensino e o exemplo que ele nos deixou para sermos felizes. O mundo diz que felicidade é seguir o nosso próprio coração,

JESUS ESTÁ DIZENDO QUE A VERDADEIRA E MAIS COMPLETA **FELICIDADE** É AQUELA QUE PASSA PELO CAMINHO DE ENTREGA E PERDÃO.

JESUS NÃO É QUEM VOCÊ PENSA

fazer aquilo que desejamos, enquanto a Bíblia nos apresenta o oposto. A palavra que Jesus usou para falar de pessoas felizes foi *makarios*, uma palavra grega que significa "grau mais elevado de satisfação e felicidade" (Mateus 5:3-11). Jesus está dizendo que a verdadeira e mais completa felicidade é aquela que passa pelo caminho da entrega, do amor sacrificial e do perdão. Portanto, para sermos como Jesus, precisamos amar quem nos traiu, perdoar quem nos feriu e lavar os pés dos que nos fizeram mal*. Lavar os pés significa fazer o que for preciso para ajudar o outro em sua necessidade e imaturidade, servindo no que for necessário e crendo na transformação do outro através do amor. Mesmo merecendo uma justa condenação, nós fomos presenteados com perdão. Esse é o amor incondicional com o qual fomos amados por Jesus, e nele encontramos a ajuda necessária para amar da mesma forma.

---

*O ensinamento de Jesus não se refere a um relacionamento abusivo. Se você se encontra em um relacionamento de abuso emocional, físico ou psicológio, procure ajuda!

PARA SERMOS COMO JESUS, PRECISAMOS AMAR QUEM NOS TRAIU, PERDOAR QUEM NOS FERIU E **LAVAR OS PÉS DOS QUE NOS FIZERAM MAL.**

PESSOAS QUE
PRECISO PERDOAR:

JESUS, ME AJUDA A SER
MAIS PARECIDO CONTIGO
E A PERDOAR CADA UM.
EU CONFIO EM TI,
AMÉM!

PERGUNTAS
PARA REFLETIR

1 Como o amor de Deus pode transformar a forma com que você se relaciona com as pessoas à sua volta?

2 Quem é a pessoa mais difícil que Deus colocou em sua vida? Como você pode servi-la?

3 O que é mais difícil para você ao perdoar alguém? Como o exemplo de Jesus pode ajudá-lo a perdoar?

CAPÍTULO 5

JESUS
É O JUSTO
JUIZ

NÃO HÁ CONDENAÇÃO ALGUMA
PARA QUEM CRÊ NELE.
JOÃO 3:18

Na contramão do amor incondicional que experimentamos em Cristo, nós vivemos em uma cultura que está repleta de condenação. As redes sociais, grande fenômeno dos nossos tempos, dão voz a todo tipo de absurdo, e são frequentes os casos de pessoas que são "canceladas" na vida real e na vida virtual por conta de alguma falha exposta, ou pelo simples fato de pensarem diferente. Ao invés de agirmos com compaixão diante das falhas e diferenças alheias, costumamos agir com condenação — bloqueamos, excluímos e rejeitamos! **Somente quem já foi ofendido, acusado, traído e injustiçado em algum momento é capaz de compreender o tamanho da dor e do desespero causado por um "cancelamento".**

Mas essa forma de lidar com as pessoas não é uma novidade dos nossos tempos. Ela existe há milhares de anos, e é fruto do pecado. Adão transferiu à Eva a responsabilidade por sua desobediência e sugeriu que seu problema era a mulher que Deus havia lhe dado. Depois disso, Caim "cancelou" Abel, matando o próprio irmão. O início da humanidade nos mostra que o mal do cancelamento esteve presente desde a Queda, ainda que não se usasse o mesmo termo para nomeá-lo.

Todos nós queremos cancelar alguém, pois o impulso natural que encontramos em nosso coração pecaminoso é culpar o outro. Frequentemente terceirizamos nossas culpas e temos muita dificuldade para encarar a realidade sobre nós mesmos. Enchemo-nos de justificativas ao invés de reconhecer nossos erros e nossos pecados.

Além disso, damos muita ênfase aos erros dos outros enquanto negamos os nossos. Jesus confrontou essa postura dizendo:

> *Por que você se preocupa com o cisco no olho de seu amigo enquanto há um tronco em seu próprio olho?* (Mateus 7:3).

Jesus veio ao mundo para expor a postura enganosa e perigosa do nosso coração. Em João 8:1-11 encontramos a história de uma mulher flagrada em adultério. Com esse episódio, podemos observar algumas características da cultura do cancelamento que, na verdade, só expõe nosso desejo de sermos juízes sobre a vida dos outros e de espalharmos sentenças de condenação ao menor sinal de erro alheio.

A CULTURA DO CANCELAMENTO É ORGULHOSA

> *Então os mestres da lei e os fariseus lhe trouxeram uma mulher pega em adultério e a colocaram diante da multidão* (João 8:3).

DAMOS MUITA ÊNFASE AOS ERROS DOS OUTROS, ENQUANTO NEGAMOS OS NOSSOS.

O cancelamento é um tipo de cultura que produz arrogância em nós. Usamos a falha do outro como degrau para nos projetar acima dele, alimentando um senso de superioridade moral. Esse tipo de atitude expõe o pensamento de que somos melhores que as outras pessoas, e deixa evidente o orgulho que há em nosso coração.

Quando agimos assim, na verdade, estamos usando as falhas de outras pessoas para a nossa autopromoção. Desejamos, com isso, parecer melhores e mais dignos diante de Jesus. O orgulho é a raiz de muitos dos problemas que enfrentamos. Gosto de chamar essa fraqueza e inclinação ao orgulho de Síndrome de Lúcifer. O diabo foi tomado pelo orgulho, que o fez se colocar contra Deus. E ele usa essa mesma estratégia para nos afastar do criador, induzindo-nos ao orgulho, sugerindo que não precisamos de Deus e que podemos ser senhores da nossa própria vida.

Quando agimos com orgulho, estamos nos colocando na posição de Deus, como juízes. Nós nos tornamos exatamente iguais àqueles que queriam apedrejar a mulher adúltera. Muitas vezes lemos essa passagem e pensamos que aquele era um tempo distante e cruel, quando o apedrejamento era previsto na lei; mas esse tempo ainda não acabou, pois continuamos apedrejando pessoas. As pedras contemporâneas são nossas palavras, posts, bloqueios, a indiferença. Essas são maneiras muito eficazes de destruir a vida de uma pessoa.

O apedrejamento virtual é tão destrutivo quanto os que aconteciam no passado. Nós gostamos de expor e ridicularizar as pessoas que não se comportam como nós nos comportamos, ou que não se enquadram na fé que professamos.

Em Lucas 18:11, Jesus conta uma parábola expondo a atitude absurda dos fariseus:

> *O fariseu, em pé, fazia essa oração:*
> *"Eu te agradeço, Deus, porque*
> *não sou como as demais pessoas:*
> *desonestas, pecadoras, adúlteras.*
> *E, com certeza, não sou como aquele*
> *cobrador de impostos".*

Veja só isso! Os fariseus oravam agradecendo por não serem iguais às demais pessoas, que, segundo os padrões deles, eram classificadas como pecadoras. Esse posicionamento mostra que eles se sentiam melhores que outras pessoas. O orgulho é pecado e diminui a importância do que Jesus fez na cruz, pois considera o sacrifício de Jesus quase desnecessário; afinal, não somos tão maus assim.

> *Se sou amado por causa da graça, como*
> *posso me sentir superior a alguém?*[19]

Pense por um instante: Quem tem sido alvo das suas pedras? Você já expôs alguém diante da multidão nas redes sociais? Isso fez com que você se sentisse melhor do que a outra pessoa? Lembre-se, a Bíblia chama isso de orgulho.

A CULTURA DO CANCELAMENTO É SELETIVA

> *"Mestre, esta mulher foi pega no ato de adultério", disseram eles a Jesus. "A lei de Moisés ordena que ela seja apedrejada. O que o senhor diz?"* (João 8:4-5).

Além de ser uma cultura orgulhosa, a cultura do cancelamento também é seletiva, pois ela escolhe e classifica quais pecados são graves e imperdoáveis.

Agimos seletivamente em nossos relacionamentos familiares, profissionais e nos grupos de conversas do WhatsApp, condenando os erros e as falhas que nos incomodam na vida dos outros. Mas, ao mesmo tempo, não levamos o nosso pecado tão a sério. Damos ênfase aos erros dos outros e maquiamos as nossas falhas. Agimos de maneira hipócrita.

Veja isso na história dessa mulher diante da multidão. A lei de Moisés dizia que se um homem e uma mulher fossem pegos em adultério, deveriam ser mortos. Mas onde estava o homem naquela situação? Ninguém comete adultério sozinho. Por que levaram somente a mulher e a colocaram diante de todos? Seria o adúltero um homem conhecido, e permitiram que ele fugisse? Percebe o quanto eles foram seletivos? O homem adúltero foi livrado do julgamento, mas a mulher, não. É assim que a cultura do cancelamento é seletiva.

Esse ponto da história é um espelho muito nítido que reflete as nossas próprias atitudes. Nós escolhemos os pecados que queremos condenar. Condenamos o adultério, mas toleramos o pensamento impuro. Condenamos a corrupção, mas toleramos a ganância. Condenamos o assassinato, mas convivemos com o ódio. Aceitamos a promiscuidade em nossas igrejas, mas a homoafetividade sempre é alvo de espanto.

Usamos pesos e medidas diferentes em relação ao pecado dos outros. Mas a Bíblia nivela todos os pecados. Há homens que não têm amor pela própria família e tratam a esposa e os filhos de maneira violenta, em palavras e ações. Há homens que falham em demonstrar amor, respeito e dignidade à esposa. Mas por que homens assim são dignos de pertencer ao corpo de Cristo, e outras pessoas não?

Quantas mulheres vaidosas e descontentes com sua autoimagem alimentam inveja em seu interior e geram conflitos em seus relacionamentos por conta de uma insatisfação puramente pessoal? Todos nós temos pecados e falhas, que são muitos, contudo, queremos misericórdia para nós e condenação para os outros. Costumamos ter em mente uma escala de maldade, segundo a qual definimos os pecados em: pecadinho, pecado médio, pecadão e o superpecado. Mas, para Deus, essa escala não existe, uma vez que pecado é pecado, e diante dele somos todos iguais.

Dessa forma, estamos nivelados em nosso afastamento de Deus, presos em nosso orgulho e prepotência, em nossa maldade interior. O que nos diferencia é a maneira com que o pecado se manifesta em cada um por meio de perversões diferentes. Algumas mais aceitas, outras menos; algumas mais danosas, outras menos.

Assim, em uma sociedade seletiva, o adultério é condenado, mas a pornografia não, uma vez que é sutil e oculta. No entanto, Jesus é bem claro ao dizer que quem olhar para uma mulher com um desejo impuro, já adulterou. Diante de Deus, não existe diferença entre a mulher adúltera e os homens que a olham com desejo impuro.

JESUS CANCELADO?

Procuravam apanhá-lo numa armadilha, ao fazê-lo dizer algo que pudessem usar contra ele (João 8:6a).

Na verdade, toda essa história em torno da mulher adúltera era uma grande armadilha. A intenção não era cancelar a mulher, mas cancelar Jesus. Observe que, no final do versículo 5, os acusadores cobram de Jesus um posicionamento: "O que o senhor diz?".

Colocaram Jesus contra a parede! Estavam procurando uma forma de destruí-lo. Mas por que queriam acabar com Jesus? Isso tem a ver com o contexto da história de Israel. O povo judeu aguardava um libertador, alguém que os livrasse daquela "escravidão" e projetasse sua nação acima do império romano. Essa era a expectativa em torno da vinda do Messias.

Porém, antes do episódio de João 8, Jesus se apresentou de três formas: pão da vida, água viva e luz do mundo. Jesus fez essas afirmações na festa dos tabernáculos, que durava oito dias. Nesses dias, era costume as pessoas dormirem em tendas para recordarem a saída de Israel do Egito, bem como sua trajetória pelo deserto até a chegada na terra prometida. O povo foi sustentado por Deus com o maná (pão que caía do céu), com a água que fluía da rocha e guiados por uma coluna de fogo. Durante a festa, a cidade de Jerusalém ficava toda iluminada. Havia tochas nas tendas, nas casas e no templo. Jesus entrou na cidade e declarou ser, ele mesmo, o maná enviado do céu, o pão da vida; afirmou ser a água viva que brota de Deus; e a verdadeira luz do mundo que sustenta e mostra o caminho da vida. Era uma analogia aos acontecimentos no deserto, tão lembrados e celebrados pelo povo.

Para os judeus, essa intitulação era inaceitável. Eles não acreditavam que Jesus era o próprio Deus — isso, afinal, era uma blasfêmia! Não existia, na concepção deles, a menor possibilidade de Deus se revelar naquela forma humana e humilde. Eles esperavam que o Messias fosse apenas um homem, usado como instrumento de Deus, assim como Moisés foi um grande profeta e libertador! Por Jesus não se encaixar na ideia que eles tinham de Messias, procuravam uma maneira de reprová-lo e destruí-lo.

"O que o senhor diz?". Era uma pegadinha! Se Jesus afirmasse que deveriam apedrejar aquela mulher, como descrito na lei, ele seria condenado pelos romanos, uma vez que a lei romana proibia os judeus de aplicarem uma sentença de morte sem o aval das autoridades competentes escolhidas pelo imperador (foi por conta disso que os judeus tiveram que levar Jesus até Pilatos, o representante do império romano naquela região, para condená-lo à morte).

Por outro lado, se Jesus dissesse para não apedreja-rem a mulher, seria apresentado à sociedade judaica como alguém que jamais poderia ser o Messias enviado por Deus, pois não guardava a lei.

Tratava-se de uma armadilha planejada por pessoas maldosas e inteligentes — os mestres da lei e os fariseus. No entanto, em vez de responder, a atitude de Jesus foi inusitada: ele começou a escrever no chão!

Agora pense comigo: da mesma forma que Jesus foi pressionado para dar seu posicionamento, nós também somos forçados, muitas vezes, a escolher um lado. E, geralmente, esse posicionamento que nos é cobrado está relacionado a algum tipo de condenação.

Aprendemos com Jesus que nem sempre precisamos responder ou expressar uma opinião. Precisamos ter discernimento para perceber as armadilhas diante de nós.

A SENTENÇA DO JUSTO JUIZ

Jesus, porém, apenas se inclinou e começou a escrever com o dedo na terra (João 8:6b).

Você já se perguntou o que Jesus escreveu naquele momento? A Bíblia não revela, mas alguns estudiosos acreditam que ele poderia ter escrito no chão os Dez Mandamentos ou até mesmo os pecados dos seus acusadores. Não temos como saber, mas quando chegarmos ao céu, teremos a chance de perguntar para o próprio Jesus! O que se pode compreender é que, de alguma forma, com aquilo que escreveu, Jesus revelava a hipocrisia do coração dos acusadores. Afinal de contas, ele é o único capaz de sondar, julgar e revelar o que há dentro de nós.

Quando insistiram em uma resposta, Jesus foi enfático ao dizer que quem nunca tivesse pecado, que atirasse a primeira pedra. Assim, mostrou a todos que aquela prática se tratava de um costume hipócrita.

Aliás, é importante destacar que a hipocrisia nos faz acusar pessoas que não são diferentes de nós, pelo contrário, são tão pecadoras e falhas quanto nós. Dessa maneira, nossas pedras acabam por expor nossa própria falsidade. Jesus quer mostrar o que de pior existe dentro de nós quando esquecemos o quanto somos pecadores.

> *Quando ouviram isso, foram saindo, um de cada vez, começando pelos mais velhos, até que só restaram Jesus e a mulher no meio da multidão* (João 8:9).

Jesus iluminou o entendimento de cada indivíduo presente ali para que enxergassem dentro do seu próprio interior, percebendo que eram todos iguais: pecadores dignos de condenação.

De maneira interessante, o versículo nos diz que as pessoas deixam o recinto, "começando pelos mais velhos", ou seja, os mais sábios caem em si, largam suas pedras e se retiram. A percepção de que não são diferentes da mulher adúltera faz com que tomem consciência e deixem no local somente Jesus e a mulher. Se o assunto for perfeição, justiça e retidão, não resta ninguém.

Nesse momento, Jesus nos apresenta uma nova cultura, na qual somos chamados a viver como cristãos: a cultura do acolhimento. O único que poderia ter condenado aquela mulher era aquele que não possui pecado algum, o justo juiz, mas ele decidiu acolhê-la em misericórdia e compaixão. Ele expôs os erros da cultura do cancelamento e introduziu uma nova cultura aos cristãos, por meio de uma nova postura. A maior característica da cultura do acolhimento é a humildade. Nós não somos diferentes. Nossas falhas podem ser diferentes, mas estamos todos igualmente distantes de Deus por causa delas.

Ter essa consciência produz humildade, uma vez que por conta dela não maltratamos mais as pessoas, nem as tratamos com altivez e orgulho. Todos somos iguais, já que diante de Deus não existe quem seja bom, pois a Bíblia diz que todos somos maus.

Como afirmam as Escrituras: "Ninguém é justo, nem um sequer" (Romanos 3:10).

Não há um justo sequer. Se Deus passar a régua da justiça, não sobra ninguém. Contudo, existe gente ruim arrependida e gente ruim não arrependida. A mulher adúltera teve seu pecado exposto, estava totalmente arrependida, mas nada podia fazer. Então, Jesus, o único que poderia condená-la, faz algo por ela, pois é perfeito.

Então Jesus se levantou de novo e disse à mulher: "Onde estão seus acusadores? Nenhum deles a condenou?". "Não Senhor", respondeu ela. E Jesus disse: "Eu também não te condeno. Vá e não peque mais" (João 8:10-11).

A JUSTIÇA DE DEUS ACOLHE PECADORES

Deus é amor, mas como ele puniria o pecado (como a justiça exige) sem contradizer seu amor? Deus é justo, mas como ele perdoaria o pecado (como o amor exige) sem contradizer sua justiça? Esse dilema foi resolvido na cruz,[20] onde a justiça de Cristo, que jamais cometeu pecado, justificou pecadores indignos.

A justiça de Deus foge à lógica humana de que quem faz o bem recebe recompensa, e quem faz o mal recebe punição. Não, a compaixão e a misericórdia de Deus nos receberam e nos acolheram por meio do que Jesus fez; nós, que fizemos o mal, fomos agraciados com a vida.

Ele é o justo juiz que julga com justiça divina. Um dos pontos mais marcantes da pessoa de Jesus é seu amor e compaixão pelas pessoas. Ele entrou na história não como um Deus que vem para condenar, pois o mundo já está condenado por sua rebelião contra seu criador. Diante dessa triste realidade, **ele entrou na história como um Deus que vem para salvar.**

Deus enviou seu Filho ao mundo não para condenar o mundo, mas para salvá-lo por meio dele (João 3:17).

Precisamos nos atentar para a face amorosa do Deus todo-poderoso, que veio em forma humana para restaurar o mundo com uma única mensagem: EU AMO VOCÊ! É uma mensagem de amor e acolhimento, em busca de cada um de nós, pois estávamos perdidos. Ele vem ao nosso encontro para nos dar a vida e nos salvar por meio da cruz. Estando diante da mulher adúltera, Jesus não a condenou. Ele teve compaixão dela, apresentando-nos uma postura compassiva e de perdão. A única pessoa perfeita, com capacidade para condenar, não o fez. Desse modo, se ele não veio ao mundo para condenar pessoas que falham, quem pensamos ser para fazer isso? Se o justo juiz não atira pedras, quem somos nós para atirar?

Somos chamados a amar os que estão perdidos. Para que isso seja possível, não podemos nos esquecer de quem somos, das nossas falhas. Assim, não julgaremos.

Não julguem de acordo com as aparências, mas julguem de maneira justa (João 7:24).

Julgar pela aparência não é a maneira correta de agir. Nesse versículo, Jesus está dizendo que, antes de julgarmos alguém, precisamos julgar a nós mesmos. Assim, quando usamos a mesma medida, entendemos que não temos o direito de atirar pedras, uma vez que também somos merecedores delas.

Por que você se preocupa com o cisco no olho de seu amigo enquanto há um tronco em seu próprio olho? Como pode dizer a seu amigo: "Deixe-me ajudá-lo a tirar o cisco de seu olho", se não consegue ver o tronco em seu próprio olho? Hipócrita! Primeiro, livre-se do tronco em seu olho; então você verá o suficiente para tirar o cisco do olho de seu amigo (Mateus 7:3-5).

Jesus não condenou a mulher adúltera, mas também não foi tolerante com o pecado dela. Seu amor e sua justiça coexistem, sem que um anule o outro. Entenda que o Messias não quis esconder o que ela fez, nem fez vista grossa para os pecados dela. Ele teve uma postura redentora porque sabia que levaria sobre si os pecados daquela mulher. "Vá e não peque mais!", disse Jesus, pois tinha em mente que seria apedrejado no lugar dela.

JESUS NÃO É QUEM VOCÊ PENSA

Essa é uma cultura redentora! Ela não tolera o pecado, mas ama, acolhe, abraça e instrui pessoas a viverem uma nova vida, pois em Cristo há redenção. Existe uma vida diferente por meio do que Jesus fez por nós! Jesus é nosso justo juiz. Se alguém quiser atirar pedras contra nós, ele tomará a frente, dizendo que deu sua vida por nós e que já levou consigo os nossos pecados.

Ele mesmo é o sacrifício para o perdão de nossos pecados, e não apenas de nossos pecados, mas dos pecados de todo o mundo (1 João 2:2).

Quem somos nós para condenar e atirar pedras, se o próprio Cristo, o rei do universo, não fez isso? Ao nos aproximarmos de Jesus, trocamos as pedras condenatórias pela bacia do amor e do perdão. Seguindo o exemplo de Jesus, somos chamados a acolher, perdoar e ajudar na transformação daqueles que erraram, abandonando o julgamento e abraçando a redenção.

Jesus levou pedras sobre si, e essa é a cultura que devemos viver como cristãos: nos colocar no lugar dos outros e, muitas vezes, levar pedradas por eles.

Nenhum pecado é maior do que a graça de Deus. Não importa qual seja sua limitação, seu erro ou sua perversão, Jesus não o condena. O justo juiz veio ao mundo para nos conceder perdão judicial, para nos absolver da culpa de uma vez por todas. Ele tomou a sentença sobre si e nos permitiu viver uma nova vida através de seu sacrifício na cruz.

118

Não há, nem jamais haverá, nenhuma condenação para aqueles que entregarem seu coração a Cristo. O Salvador do mundo nos fez livres do poder do pecado! Assim, morremos para nós mesmos e olhamos para ele, imitando seu exemplo ao acolher outros com amor e compaixão.

QUEM SOMOS NÓS PARA CONDENAR E ATIRAR PEDRAS, SE O PRÓPRIO **CRISTO** NÃO FEZ ISSO?

CULTURA DO CANCELAMENTO	X	CULTURA DO ACOLHIMENTO
EXPÕE FALHAS		MOSTRA COMPAIXÃO
PRODUZ ARROGÂNCIA		PRODUZ HUMILDADE
É SELETIVA		É ACOLHEDORA
ESCOLHE OS PECADOS PARA CONDENAR		SE COLOCA NO LUGAR DO OUTRO
ACUSA		OFERECE PERDÃO

QUANTO MAIS **PERTO DE JESUS** A GENTE ANDA, MENOS VONTADE DE ATIRAR PEDRA A GENTE TEM.

CARLOS BEZERRA JÚNIOR

PERGUNTAS
PARA REFLETIR

1 O que este capítulo fez você pensar sobre a cultura do cancelamento?

2 Como seriam nossos relacionamentos se olhássemos primeiro para o nosso pecado em vez de olhar para o pecado do outro?

3 De que maneira prática você pode viver a cultura do acolhimento?

CAPÍTULO 6

JESUS
É O SALVADOR
DO MUNDO

AGORA SABEMOS QUE ELE É, DE FATO,
O SALVADOR DO MUNDO.
JOÃO 4:42

Deus é amor e justiça. Seu amor e sua justiça não se contradizem. Ele poderia nos deixar viver as consequências de nossa rebelião, porque seria o justo a se fazer. Nós certamente merecemos a condenação eterna por termos virado as costas para ele. Mas por causa do grande amor com que nos amou, Jesus pagou o preço da ofensa da humanidade; por meio do que ele fez na cruz, aqueles que creem são tornados justos. A Palavra nos ensina que Deus nos amou antes da fundação do mundo, e desde então seu plano para salvar a humanidade do pecado, por meio de Jesus, já estava estabelecido, tendo três propósitos bem definidos.

1. RESGATAR-NOS DO CASTIGO DO PECADO

> *Pois todos pecaram e não alcançam*
> *o padrão da glória de Deus, mas ele,*
> *em sua graça, nos declara justos*
> *por meio de Cristo Jesus, que nos*
> *resgatou do castigo por nossos*
> *pecados* (Romanos 3:23-24).

O apóstolo Paulo esclarece em Romanos que todos pecamos, por isso, não há um justo sequer (3:10).

Para Deus, não existem bons ou maus como classificamos as pessoas em nossa realidade e inclusive ensinamos para nossos filhos. Para ele, todos nós somos maus. A história da nossa maldade começa em Adão, lá no início do livro de Gênesis. Deus criou o mundo em perfeição — tudo era simplesmente maravilhoso. O homem e a mulher tinham um relacionamento perfeito com seu criador e com a natureza. Tudo funcionava como tinha sido planejado. O mundo era incrível, o plano divino era perfeito e em tudo havia harmonia.

O homem e a mulher foram criados à imagem e semelhança de Deus para que vivessem uma relação de amor com ele e, nesse relacionamento, fossem plenamente felizes e satisfeitos. Tudo foi criado para seu deleite, exceto a árvore do conhecimento do bem e do mal, que se encontrava no meio do jardim. Se dela comessem, iriam morrer.

O amor não existe sem a liberdade, por isso Deus deu ao homem e à mulher a opção de escolher. E quando eles escolheram assumir o comando de suas vidas, declararam que o criador não era mais o seu Deus. Eles acreditaram na mentira do diabo, que afirmou que, se eles comessem do fruto proibido, seriam iguais a Deus.

Com essa desobediência, o homem, representando toda a humanidade que descenderia dele, se afastou de Deus. E a partir daí, o pecado entrou no mundo, tendo como consequência a morte física e espiritual.

Em Romanos 7, Paulo fala a respeito de uma guerra invisível que acontece dentro de nós, na qual não conseguimos fazer o que queremos, e acabamos por fazer o que não queremos. Isso acontece porque o pecado habita em nós.

Perdemos a capacidade de alcançar o padrão de Deus, já que uma ação boa não compensa uma ação má. Não existe equilíbrio nesse contexto. Em nossa mente pode até existir um medidor de bondade, que classifica o que é mau, bom ou perfeito, mas esse conceito está limitado apenas aos nossos padrões, uma vez que, no medidor de bondade de Deus, todos nós fomos reprovados. Esse medidor divino são os princípios de vida que estão na Bíblia. A lei do Antigo Testamento, sintetizada nos Dez Mandamentos, nos mostra o quanto somos incapazes de obedecer à vontade de Deus. É impossível nos submetermos a tudo que a santidade de Deus exige de nós.

Estamos todos impuros por causa de nosso pecado; quando mostramos nossos atos de justiça, não passam de trapos imundos. Como as folhas das árvores, murchamos e caímos, e nossos pecados nos levam embora como o vento (Isaías 64:6).

Em outras palavras, não há nada que possamos fazer para alcançar a salvação. O medidor de bondade de Deus mostra que estamos imundos e perdidos, pois somos pecadores.

A Bíblia nos aponta para a dura realidade de que existe um castigo como consequência do pecado:

Pois o salário do pecado é a morte,
mas a dádiva de Deus é a vida eterna
em Cristo Jesus, nosso Senhor
(Romanos 6:23).

A consequência do pecado é a morte; essa é a justa recompensa pela rebelião de nosso coração. No entanto, não fomos criados para a morte, fomos criados para viver eternamente. Se não houvesse pecado, nós não morreríamos, mas por causa dele estamos condenados à morte: morremos física, espiritual e eternamente — e Deus avisou que seria assim. Ele não queria que fosse dessa forma, mas em sua soberania, sabia que isso aconteceria.

A condenação pelo pecado é a nossa separação eterna de Deus, mas não é esse o propósito para o qual fomos criados. Deus nos fez para vivermos um relacionamento íntimo consigo.

O pecado também gerou escravidão, já que agimos na intenção de realizar os desejos da nossa carne. Por isso, podemos dizer que o pecado controla nossa vida em um processo de autossabotagem. Assim, tudo flui de acordo com o que desejamos, tornando-nos escravos do poder do pecado.

Por que Deus não poderia simplesmente nos perdoar? Por que a cruz foi necessária? Por que Jesus tinha que morrer?

As consequências da Queda causaram danos e prejuízos infinitos à nossa vida, à humanidade e até mesmo ao universo. A Bíblia nos alerta que a natureza geme por causa do pecado.

Imagine em que mundo viveríamos se o próprio Deus, justo e santo, fosse conivente com o mal, passando a mão em nossa cabeça e aceitando o pecado! Sempre que há dano em um relacionamento, inevitavelmente alguém tem que arcar com o custo. O mesmo acontece em nosso relacionamento com Deus. O pecado foi um dano de dimensões imensuráveis, e há um custo a ser pago: a morte. Jesus pagou o preço exigido por nossa corrupção.

A gravidade de um crime é determinada, em parte, pela dignidade da pessoa e do cargo que está sendo desrespeitado. Se a pessoa for infinitamente digna, infinitamente ilustre, infinitamente querida e ocupar um cargo de infinita dignidade e autoridade, rejeitá-la é um crime e infinitamente ultrajante. Portanto, merece um castigo infinito.[20]

Se eu atirar uma pedra em você, isso não será tão grave quanto eu atirar uma pedra no rei da Inglaterra. A ofensa toma as proporções do ofendido, e o rei da Inglaterra é muito mais importante que você em termos de autoridade, poder e influência. Quando consideramos que o pecado do ser humano é uma ofensa que assume as proporções do Senhor do universo, percebemos que se o próprio Deus não tivesse decidido perdoar nossa culpa de proporções universais, não haveria esperança para nós.

*É verdade que um só pecado de
Adão trouxe condenação a todos,
mas um só ato de justiça de Cristo
removeu a culpa e trouxe vida a todos*
(Romanos 5:18).

Um só ato de justiça trouxe vida a todos nós.

Colossenses 2:14 nos diz que Jesus cancelou a nossa dívida, ele a removeu pregando-a na cruz. Por isso, já não há condenação para os que estão nele.

*Somos declarados justos diante de
Deus por meio da fé em Jesus Cristo, e
isso se aplica a todos que creem, sem
nenhuma distinção* (Romanos 3:22).

Somos justificados mediante Jesus Cristo, e isso se aplica a todos os que creem, sem nenhuma distinção. Basta crer! Nossos atos de justiça são trapos imundos diante de Deus, não há nada que nós possamos fazer. Somos salvos por meio da fé em Jesus!

2. RESTAURAR NOSSO RELACIONAMENTO COM DEUS

*Pois, se quando ainda éramos inimigos
de Deus nosso relacionamento com ele
foi restaurado pela morte de seu Filho,
agora que já estamos reconciliados
certamente seremos salvos por sua
vida* (Romanos 5:10).

JESUS É O SALVADOR DO MUNDO

O segundo propósito da morte de Jesus é a restauração do nosso relacionamento com ele. Nós fomos criados para Deus, e nossa alma não encontrará descanso verdadeiro se não estivermos nele. Sem ele não somos nada! Assim, Jesus destruiu o abismo que existia entre nós e Deus, reconciliando-nos com o Pai e permitindo-nos estar conectados com ele.

Em João 14:6, Cristo afirma que ele é o caminho, a verdade e a vida, e que ninguém pode se achegar ao Pai se não for por ele. Não estou falando de religião, tampouco que todos os caminhos levam a Deus, porque está bem claro que Jesus é o caminho.

Agora, portanto, podemos nos alegrar em Deus, com quem fomos reconciliados por meio de nosso Senhor Jesus Cristo (Romanos 5:11).

Podemos nos alegrar novamente porque não estamos mais debaixo de condenação. Fomos libertos pela morte e ressurreição de Jesus. O mesmo poder que ressuscitou Jesus dos mortos habita em nós, pois somos morada de Deus.

3. REVELAR A GRANDEZA DO SEU AMOR

Mas Deus nos prova seu grande amor ao enviar Cristo para morrer por nós quando ainda éramos pecadores (Romanos 5:8).

GULA OR

ALTIVEZ

SOBERB

RANCOR

FALSO TESTEM

PERD

ULHO IRA
DULTÉRIO
IA
NEJA
UNHO VÍCIOS

O terceiro propósito da morte de Jesus é revelar a grandeza do seu amor. Nós não merecíamos, mas ele derramou sobre nós o perdão. Assim, o grande amor de Deus foi derramado sobre nossa vida, e, com ele, todas as bênçãos espirituais. Jesus gritou na cruz o quanto nos ama, dando sua própria vida por nós. Não há como duvidar!

Deus nos ama e, se estivermos em Cristo, ele tem um futuro garantido para nós. Não há mais motivos para desistir, desfalecer ou duvidar. Há uma nova vida esperando por nós, um novo caminho e um novo propósito.

De qualquer forma, o amor de Cristo nos impulsiona. Porque cremos que ele morreu por todos, também cremos que todos morreram.

Ele morreu por todos, para que os
que recebem sua nova vida não vivam
mais para si mesmos, mas para Cristo,
que morreu e ressuscitou por eles
(2Coríntios 5:14-15).

Jesus morreu para não vivermos mais para nós mesmos, mas para termos a oportunidade de dar a nossa vida a ele. No batismo, o ato de deitar e mergulhar nas águas simboliza que morremos para nós e levantamos (nascemos) para uma nova vida com Cristo.

Fui crucificado com Cristo; assim, já não
sou eu quem vive, mas Cristo vive em

*mim. Portanto, vivo neste corpo terreno
pela fé no Filho de Deus, que me amou
e se entregou por mim* (Gálatas 2:20).

Viver pela fé no Filho de Deus, que nos amou e se entregou por nós, e dar a nossa vida por ele, devem ser a nossa humilde resposta ao seu grande sacrifício. Somente quem compreende a grandeza de sua própria miséria e a grandeza do amor e do perdão de Deus é que se rende a uma vida de obediência voluntária, por amor, gratidão e temor a ele.

Até aqui, estudamos muito do que a Bíblia revela a respeito de quem é o verdadeiro Jesus. Ele é Deus, é vida, é o Cordeiro que tira o pecado do mundo e nos ama incondicionalmente, é o justo juiz e o Salvador de toda a humanidade. Você o conhecia dessa forma? Ou mesmo que já conhecesse os termos, você tinha uma compreensão profunda do que cada um deles revela sobre o criador do universo? Diante de tamanha grandeza, você está convicto de que já rendeu seu coração a Cristo para viver um relacionamento íntimo e crescente com ele?

Se você já o fez, reflita a respeito de sua vida cristã. Que tipo de cristianismo você tem vivido? O cristianismo que você vive aponta para o Jesus verdadeiro? Se as respostas a essas perguntas não estiverem muito seguras em seu coração, convido-o a refletir, no próximo e último capítulo deste livro, sobre o que nos cabe fazer para conhecer Jesus e estar num relacionamento real com ele.

O CRISTIANISMO QUE VOCÊ VIVE APONTA PARA O **JESUS VERDADEIRO?**

PERGUNTAS
PARA REFLETIR

1 O que significa Jesus ser o Salvador e Senhor de sua vida?

2 Que sentimento vem ao seu coração ao refletir sobre o que Jesus fez por você?

3 O que mudou em sua vida desde que você conheceu Jesus? O que ainda precisa ser transformado em você?

CAPÍTULO 7

COMO PODEMOS CONHECER JESUS?

OS DISCÍPULOS VIRAM JESUS FAZER MUITOS OUTROS SINAIS ALÉM DOS QUE SE ENCONTRAM REGISTRADOS NESTE LIVRO. ESTES, PORÉM, ESTÃO REGISTRADOS PARA QUE VOCÊS CREIAM QUE JESUS É O CRISTO, O FILHO DE DEUS, E PARA QUE, CRENDO NELE, TENHAM VIDA PELO PODER DO SEU NOME.
JOÃO 20:30-31

Este livro é um convite para abandonar as ideias erradas a respeito de Jesus, deixar o peso da religiosidade e, assim, encontrar paz e descanso para nossa alma. Estamos em busca dele, de sua verdadeira identidade, de quem ele é, do porquê ele veio a este mundo e morreu numa cruz. E tudo isso é muito especial! No preparo dos sermões que deram origem a este livro, eu mesmo fui impactado pela face de Deus, como mencionei na introdução.

Quando nós buscamos a essência do coração de Jesus, descobrimos a face do próprio Deus. Não apenas nos deparamos com o criador, mas também descobrimos quem fomos criados para ser. É por isso que, quando olhamos para Jesus, somos desafiados e gentilmente confrontados.

Este último capítulo não esgota o assunto a respeito de Jesus. O próprio João afirma que ele escolheu relatar o que era mais importante, pois seria impossível descrever todos os feitos de Jesus (João 21:25). O assunto é inesgotável! Jesus, em seu discurso na mesa da última ceia, disse:

> *E a vida eterna é isto: conhecer a ti, o único Deus verdadeiro, e a Jesus Cristo, a quem enviaste ao mundo* (João 17:3).

E A VIDA ETERNA
É ISTO: **CONHECER
A TI,** O ÚNICO
DEUS VERDADEIRO,
E A JESUS CRISTO,
A QUEM ENVIASTE
AO MUNDO.

JOÃO 17.3

A vida eterna, o que nós vamos fazer para sempre, é conhecer Jesus. Nem toda a eternidade será suficiente para compreender e experimentar a largura, a altura, o comprimento e a profundidade do seu amor e do seu caráter.

O QUE AS CRISES DE FÉ NOS ENSINAM A RESPEITO DE JESUS?

Você já viveu uma crise de fé? Já passou por um tempo difícil na sua caminhada cristã? Na sua experiência de vida religiosa? Na igreja onde você cresceu? Diante de frustração e sofrimento, você já duvidou do amor e do poder de Deus? Você pode ter pensado em desistir, ou talvez até tenha, de fato, desistido da fé e deixado tudo para trás. Talvez hoje mesmo você esteja enfrentando uma crise. Pode ser que você busque uma luz no fim do túnel, na esperança de ser iluminado pela verdade e resgatado dessa noite escura da alma.

De onde surge uma crise de fé? Por que passamos por essas crises? Para responder esses questionamentos, quero apresentar um relato bíblico que se encontra no Evangelho de Lucas:

> *Naquele mesmo dia, dois dos*
> *seguidores de Jesus caminhavam*
> *para o povoado de Emaús, a*
> *onze quilômetros de Jerusalém.*
> *No caminho, falavam a respeito*

de tudo que havia acontecido
(Lucas 24:13-14).

Esse texto fala de dois discípulos que estão decepcionados com Deus. Eles se sentem traídos pelo Senhor. Estão angustiados, frustrados e arrebentados por dentro. Eles sentem que Deus não cumpriu suas promessas porque aquilo que esperavam não aconteceu. Seus corações estavam cheios de sonhos que se tornaram pesadelos. O dia virou noite. A esperança se tornou profunda depressão.

É isso que esses dois estão vivendo exatamente no dia em que Cristo ressurgiu dos mortos. É domingo da ressurreição, e os seguidores de Jesus entram num profundo desânimo. Estão experimentando uma crise de fé. Mas por que, justamente nesse dia, os dois discípulos estão em crise? Não parece ser o dia errado? Eles estão em crise porque têm uma falsa ideia a respeito de quem Jesus é. **As crises de fé são causadas por uma concepção ou uma expectativa errada sobre Deus.**

Se você viveu ou está vivendo uma crise de fé, não tenho dúvida de que seu problema não é com Deus, mas com a ideia que você construiu acerca de Deus!

Infelizmente, nós temos o costume de criar uma caricatura de Jesus. Enganamos a nós mesmos com a ilusão de um deus criado, um Jesus feito à nossa imagem, de acordo com aquilo que somos, queremos e desejamos. Nós nos relacionamos com essa ideia de Jesus, que não é realmente Jesus — e aí reside o grande perigo.

Há quem passe a vida inteira mergulhado num relacionamento de ilusão com um deus que sua própria mente criou. Não tenha a menor dúvida de que **uma ideia errada sobre Jesus levará você a viver expectativas frustradas, decepção atrás de decepção, porque esse deus criado à sua imagem não é o Deus verdadeiro.** No momento que você mais precisar, ele não estará lá, porque é mentira e engano. Esse deus foi criado como uma projeção de seu próprio coração pecador a respeito daquilo que você gostaria que ele fosse, a fim de satisfazer seus próprios desejos.

Embora os dois discípulos do relato de Lucas sejam chamados de "seguidores de Jesus" pelo próprio texto bíblico, eles não conheciam Jesus verdadeiramente. Seguiam-no por conta de suas próprias expectativas. Tinham uma ideia errada a respeito de quem Jesus era.

Tínhamos esperança de que ele
fosse aquele que resgataria Israel.
Isso tudo aconteceu há três dias
(Lucas 24:21).

Aqui eles mostram a ideia errada que tinham. Eles são apenas um exemplo do que todo o povo pensava naquela época. Para todos eles, o Cristo viria como Moisés: seria um grande profeta que libertaria os judeus do jugo romano. Sob Roma, Israel vivia uma situação semelhante àquela experimentada

UMA IDEIA ERRADA SOBRE **JESUS** LEVARÁ VOCÊ A VIVER EXPECTATIVAS FRUSTRADAS.

no Egito, pois o povo estava sob profunda miséria e submetido a todo tipo de injustiça. Diante disso, eles esperavam que surgisse um grande libertador que acabasse com o domínio romano; um líder político que mudasse as circunstâncias, projetando Israel acima de todas as nações.

Essa era a lente através da qual eles olhavam para Jesus, e demonstraram isso ao dizer "Tínhamos esperança...". Eles criaram expectativas de que o Messias realizaria o grande sonho que tinham.

A multidão que gritou o nome de Jesus, declarando louvores triunfais quando ele entrou em Jerusalém montado num jumentinho, é a mesma que, uma semana depois, grita o nome de Barrabás quando Pilatos dá ao povo a oportunidade de escolher quem queriam que fosse liberto da morte de cruz. Eles mudaram de lado. Por quê?

Porque Jesus os decepcionou. Jesus não correspondeu às suas expectativas. Barrabás era mais parecido com a ideia que eles tinham de Messias do que Jesus. Barrabás era um líder revolucionário, alguém que quis enfrentar Roma com o uso de força. Ele liderou uma revolução, colocou a mão na espada, matou soldados do exército romano e, por isso, foi preso como um rebelde revolucionário.

Era isso que Israel queria. Jesus parecia fraco aos olhos deles, pois desejavam alguém que falasse de empoderamento, não de esvaziamento. Queriam o Leão da tribo de Judá, não um cordeiro que tirasse o pecado do mundo. Jesus não correspondeu às suas expectativas, e então, foi rejeitado e entregue a uma morte humilhante.

Em João 6, o apóstolo relata um fato que expressa o mesmo interesse distorcido da multidão pelo Cristo. Depois da multiplicação dos pães e peixes, o povo fica muito animado e vai atrás de Jesus até o outro lado do mar da Galileia. Ali, o questionam a respeito de quando ele os libertaria do império romano. Jesus responde algo como: "Vocês têm uma ideia errada de quem eu sou. Eu não sou essa projeção que vocês fizeram. Eu sou o pão da vida, o próprio Deus que veio ao mundo".

A multidão o via como um realizador de sonhos, um meio para aquilo que ela desejava. Nós também agimos assim hoje. Muitas vezes, mantemos uma relação de interesse com Deus. Criamos uma divindade que existe para nos satisfazer, para realizar nossos sonhos, para nos fazer felizes. Esse deus é apenas um meio para nossa alegria, para nossa satisfação, para nossa felicidade, para fazer tudo o que queremos. E quando esse falso deus não satisfaz os desejos do nosso coração, ficamos frustrados, decepcionados e nos sentimos traídos. *JÁ PENSOU NISSO!*

Os dois discípulos a caminho de Emaús estavam se sentindo exatamente assim. Construíram uma ideia errada, conceberam em sua mente um deus que viria ao mundo apenas para fazer o que eles queriam, um realizador de sonhos. E Jesus se opõe a isso, mostra-lhes que ele é muito maior do que qualquer concepção humana, e que sua obra vai muito além das expectativas deles.

COMO PODEMOS CONHECER JESUS?

OS PERIGOS DE UMA IDEIA ERRADA SOBRE JESUS

Existem três perigos de se ter uma ideia errada a respeito de Jesus, que o relato dos dois discípulos no caminho de Emaús nos ajuda a entender.

1. Uma ideia errada sobre Jesus conduz a uma direção errada

> *Naquele mesmo dia, dois dos seguidores de Jesus caminhavam para o povoado de Emaús, a onze quilômetros de Jerusalém* (Lucas 24:13).

O texto bíblico que relata esse episódio começa com a seguinte frase: "Naquele mesmo dia". Que dia? O domingo da ressurreição. No mesmo dia que Jesus estava saindo da tumba, os dois discípulos estavam saindo de Jerusalém, deixando tudo para trás. Eles não sabiam da ressurreição, só sabiam da morte. Estavam desatualizados e, por causa disso, frustrados. Deixavam para trás seu sonho, sua fé, e voltavam para sua vida vazia e ordinária no povoado de Emaús.

Jerusalém, a cidade que deixaram para trás, no mesmo dia é o centro do universo, o centro do plano de Deus.

Jesus Cristo deixou a tumba vazia, ressurgiu dos mortos, venceu a morte, mas esses dois não sabiam disso porque estavam caminhando para longe do

149

palco da redenção — o maior momento de toda história! Qual o homem ou mulher não gostaria de ter estado lá? Mas eles estavam distantes porque tinham uma ideia distorcida. **A fé no Jesus errado levará você à direção errada, a decisões erradas, a uma vida que não é a vida que Deus veio para lhe oferecer.**

Se queremos viver a boa, perfeita e agradável vontade de Deus, precisamos renovar a nossa mente. Os dois discípulos estavam conformados a uma falsa ideia e, por causa disso, não desfrutam de vida, mas de morte, tristeza e desânimo. Eles não entenderam que estavam andando para longe da verdade.

Talvez seja esse o motivo pelo qual você se sente distante, pelo qual você esteja onde está. Não é porque Deus o tenha deixado aí, mas porque você caminhou na direção contrária, crendo numa ideia errada a respeito dele. Talvez sua angústia, sua decepção e sua dor não tenham nada a ver com Deus, mas com sua ideia errada a respeito dele. Estar num relacionamento crescente com Jesus é o oposto disso, pois ele nos oferece uma vida plena. Há vida abundante em Jesus, no verdadeiro Jesus.

2. Uma ideia errada sobre Jesus nos impede de reconhecê-lo

Enquanto conversavam e discutiam,
o próprio Jesus se aproximou
e começou a andar com eles.
Os olhos deles, porém, estavam

COMO PODEMOS CONHECER JESUS?

como que impedidos de reconhecê-lo
(Lucas 24:15-16).

Enquanto os dois discípulos caminhavam para longe de Jerusalém, Jesus foi ao encontro deles no tempo de crise e decepção. Ele está exatamente ali, o que é incrível. Jesus conhece nossa dor e nossos sentimentos, sabe o que estamos vivendo e vem nos visitar nesses momentos. Ele se coloca ao nosso lado porque entende o que é sofrer. Fez-se carne e conheceu toda forma de angústia humana: a dor da rejeição, do abandono, do abuso e da própria morte.

Não importa o que você tenha passado em sua vida, Jesus entende. A Bíblia nos conta que ele também passou pelas mesmas dores que enfrentamos. É por isso que ele se importa e se identifica com a nossa dor. É por isso que ele vem ao nosso encontro, e não quer que ninguém, jamais, passe por tudo sozinho. Ele nos mostra como sua dor redimiu a nossa, como as suas feridas sararam as nossas, e como aquilo que ele sofreu vem trazer novo significado para a nossa vida.

Jesus vem ao nosso encontro em nosso sofrimento. Ele foi ao encontro do sofrimento daqueles dois discípulos, mas os olhos deles estavam impedidos de reconhecê-lo. Não perceberam que era o Senhor do universo caminhando ao seu lado. Por quê? Porque tinham uma ideia errada de Jesus.

Não conseguiam enxergar, assim como nós muitas vezes não o enxergamos em nossa vida. Colocamos as

151

lentes escuras de interpretação incorreta a respeito de Deus, e isso nos impede de perceber e experimentar sua presença.

Jesus nunca nos abandona, somos nós que o abandonamos, somos nós que não o percebemos porque estamos ocupados demais, distraídos demais. Mergulhamos em nossa compreensão falha, que nos impede de enxergar o verdadeiro Jesus que vive conosco todos os dias.

3. Uma ideia errada de Jesus produz desânimo e decepção

> *Jesus lhes perguntou: "Sobre o que vocês tanto debatem enquanto caminham?". Eles pararam, com o rosto entristecido* (Lucas 24:17).

Jesus percebe que eles estão tristes e abatidos, e vem para lhes contar novidades que podem trazer novo ânimo ao coração deles. Diante da evidente decepção em seus rostos, Jesus pergunta sobre o que estão discutindo.

> *Então um deles, chamado Cleopas, respondeu: "Você deve ser a única pessoa em Jerusalém que não sabe das coisas que aconteceram lá nos últimos dias". "Que coisas?", perguntou Jesus. "As coisas que*

COMO PODEMOS CONHECER JESUS?

aconteceram com Jesus de Nazaré",
responderam eles. "Ele era um profeta
de palavras e ações poderosas aos
olhos de Deus e de todo o povo"
(Lucas 24:18-19).

Eles respondem à pergunta de Jesus de forma irônica: "Como assim, o que aconteceu? Você é um alienado? A única pessoa em Jerusalém que não sabe das coisas?". Eles demonstram até mesmo certa irritação na forma de responder, porque pessoas feridas, ferem. Quando alguém ferir você, tenha certeza de que ali tem uma pessoa ferida. Aqueles discípulos estavam feridos e responderam bruscamente.

Jesus diz, então: "Que coisas? Quais são as últimas novidades?". Gentilmente irônico, Jesus pede que o atualizem a respeito das últimas notícias. E os dois começam a descrever: "Havia um homem conhecido como Jesus de Nazaré. Ele era um mestre, mas também um profeta poderoso. Realizou milagres, multiplicou pães, expulsou demônios, curou doentes. Não tínhamos dúvidas de que ele era o Messias esperado, e ficamos empolgados. Finalmente tinha chegado a hora. Tínhamos a certeza de que, a qualquer momento, ele se ergueria em seu trono.

"Ele foi caminhando da Galileia em direção a Jerusalém, e uma caravana de esperança se reuniu ao seu redor. Uma multidão se juntou a ele nesse caminho. Quando chegou a Jerusalém, purificou o templo, expulsou os cambistas, fez o inimaginável. Ele expôs

153

a hipocrisia dos líderes religiosos, dos fariseus. Sabíamos que, a qualquer momento, ele começaria seu reinado.

"Achamos que Roma se submeteria a nós, que a iniquidade seria extinta, que a injustiça seria aniquilada, que a fome e a miséria seriam erradicadas, que a ação do diabo seria eliminada para todo o sempre. Ficamos entusiasmados, encantados e surpresos com aquele homem. Nosso coração se encheu de expectativa para aquele grande momento.

"Mas, de repente, ao invés de ele se erguer no trono, ele se ergueu numa cruz. Ele foi crucificado ao lado de dois criminosos. Pendurado, pregado, abandonado, coroado com espinhos e com ironia, sangrando até morrer... E foi ali que os sonhos foram por água abaixo. O dia se tornou noite, o céu azul ficou cinzento, o sonho virou pesadelo, a esperança se tornou profunda depressão."

Então, os dois discípulos deixam tudo para trás. Saem de Jerusalém, abandonam seus sonhos, caminham no domingo em direção à sua aldeia, de volta para uma vida vazia e sem sentido, para o cansaço do dia a dia, completamente derrotados. É isso que acontece quando nos relacionamos com uma ideia errada a respeito de Jesus. A crise é inevitável. Se você alimenta uma ideia errada sobre Deus, você certamente irá se frustrar profundamente.

Quando Jesus veio a este mundo, os judeus, seu próprio povo, tinham uma ideia errada sobre quem deveria ser o Messias. Por isso, não o reconheceram.

SE VOCÊ ALIMENTA UMA IDEIA ERRADA SOBRE **DEUS,** VOCÊ CERTAMENTE IRÁ SE FRUSTRAR PROFUNDAMENTE.

> **Eles não foram capazes de perceber que antes de entrar em sua glória e ser o Leão da tribo de Judá, Jesus precisava vir como o Cordeiro de Deus que tira o pecado do mundo.**

A tudo o que os dois discípulos relataram a respeito de suas frustrações, Jesus respondeu:

> *Como vocês são tolos! Como custam a entender o que os profetas registraram nas Escrituras! Não percebem que era necessário que o Cristo sofresse essas coisas antes de entrar em sua glória?*
> (Lucas 24:25-26).

Jesus quis se revelar a eles, corrigindo a ideia errada que tinham para, assim, apresentar sua real identidade.

TRÊS MANEIRAS PELAS QUAIS PODEMOS CONHECER JESUS

Talvez, diante de tudo o que leu até aqui, você esteja se perguntando quem é o verdadeiro Jesus e queira conhecê-lo. Por meio desse diálogo tão importante e tão profundo entre Cristo e os dois discípulos a caminho de Emaús, também é possível aprender três maneiras de conhecer Jesus.

COMO PODEMOS CONHECER JESUS?

1. Bíblia

Então Jesus os conduziu por todos os escritos de Moisés e dos profetas, explicando o que as Escrituras diziam a respeito dele (Lucas 24:27).

A Bíblia é um livro vivo. Nela, o próprio Deus se revelou a nós, mostrando a essência do seu coração e sua face. Infelizmente, muitos ainda não aprenderam a ler a Bíblia. Consideram um compilado de histórias e exemplos a seguir, e acabam se perdendo. Na verdade, precisamos ter consciência de que ela é uma única história.

Tudo nas Escrituras Sagradas aponta para Jesus. Ao ler a Bíblia, precisamos ter em mente que ela é um livro de tema único: a história da redenção para a glória de Deus Pai. A criação perfeita, a rebelião humana, os anúncios a respeito do Messias, os símbolos que apontavam para sua vinda, a encarnação do próprio Deus, a identificação com nossa frágil humanidade, o peso do pecado sobre Cristo na cruz, a vitória de sua ressurreição, a igreja testemunhando seu amor, a esperança do glorioso retorno de Jesus — cada detalhe aponta para Jesus e encontra sentido nele. Nada que seja dito usando as Escrituras, mas fugindo desse contexto, é válido.

A Bíblia é um livro que nos conta o início e também o final da história da nossa vida — que é apenas

157

o começo da verdadeira vida, o primeiro dia da eternidade. Os capítulos 21 e 22 de Apocalipse relatam o dia que estaremos todos juntos nas bodas do Cordeiro, celebrando a vitória de Jesus Cristo, pois nós teremos vencido junto com ele. Sem lágrimas, sem dor, sem morte. Somente o desfrute eterno da presença plena do Senhor.

Tudo o que nos cabe conhecer sobre o próprio Deus está revelado na Bíblia. É nossa responsabilidade estudá-la e conhecer mais do nosso Senhor por meio dela.

2. Comunhão

Aproximando-se de Emaús, o destino deles, Jesus fez como quem seguiria viagem, mas eles insistiram: "Fique conosco esta noite, pois já é tarde". E Jesus foi para casa com eles. Quando estavam à mesa, ele tomou o pão e o abençoou. Depois, partiu-o e lhes deu (Lucas 24:28-30).

Jesus entrou na casa com seus dois seguidores, sentou-se à mesa, partiu o pão e o abençoou. A primeira coisa que ele fez ao sair da cruz foi ir para a mesa, em comunhão. É interessante observar que a cruz não é um fim em si mesma, ela é um meio para o fim: a mesa, um lugar de amor, comunhão e restauração.

É por meio da comunhão sagrada da mesa que podemos desfrutar da presença de Jesus. Esta foi a

COMO PODEMOS CONHECER JESUS?

razão da morte na cruz: ter a cada um de nós sentado à mesa com ele, numa relação de intimidade, na qual Jesus derrama seu sangue e parte o pão em nossa vida. Isso é comunhão! Você tem uma relação de intimidade com Jesus? Você se senta à mesa com ele?

Foi sentado à mesa, na última ceia, em comunhão com seus discípulos momentos antes da crucificação, que Jesus deu um novo mandamento:

Por isso, agora eu lhes dou um novo mandamento: Amem uns aos outros. Assim como eu os amei, vocês devem amar uns aos outros. Seu amor uns pelos outros provará ao mundo que são meus discípulos (João 13:34-35).

Assim como ele se partiu por nós, somos chamados a nos partir uns pelos outros; e assim como ele nos amou, somos chamados a amar uns aos outros. Jesus promove em nós a unidade, não a individualidade. O cristão foi chamado para viver em comunidade! Não dá para se comprometer com Cristo sem se comprometer com o corpo de Cristo. Você está preparado para viver essa realidade?

Foi também à mesa, quando Jesus partiu o pão, que os olhos dos dois discípulos se abriram, reconhecendo, enfim, o Messias à sua frente. No Éden, os olhos de Adão e Eva se abriram para o mal, e agora, depois da ressurreição de Cristo, os olhos passam a enxergar a verdade, e não mais o pecado e a morte.

ÚLTIMAS NOTÍCIAS

SPOILER

JESUS
VENCEU A MORTE

Então os olhos deles foram abertos e o reconheceram. Nesse momento, ele desapareceu. Disseram um ao outro: "Não ardia o nosso coração quando ele falava conosco no caminho e nos explicava as Escrituras?" (Lucas 24:31-32).

A mensagem que Jesus transmitiu nesse momento àqueles homens foi que eles estavam desatualizados. Eles perderam as últimas notícias; estavam vivendo de notícia falsa, de jornal velho e amarelado.

O jornal deles era o de sexta-feira, mas naquele domingo, cedinho, havia saído um jornal novo em folha, que anunciava gloriosamente que a tumba estava vazia. Cristo havia vencido a morte, saído vitorioso e nada mais poderia separá-los. Eles estariam juntos para sempre. Assim, seus olhos foram abertos para a verdade.

Essas boas notícias são as mesmas que Jesus nos entrega hoje. As últimas notícias não são de morte, nunca mais elas serão de morte, mas sim de ressurreição, vida, perdão e amor.

Talvez você esteja como os discípulos de Emaús, vivendo de jornal velho. Talvez você tenha recebido notícias desatualizadas que arruinaram seu coração e derrubaram sua fé. Jesus está anunciando hoje que essas não são as últimas notícias, pois ele venceu e nós vencemos com ele. Não leia mais esse jornal velho. Deixe Cristo trazer as últimas notícias para sua vida. Não há mais espaço para desânimo, pois agora

COMO PODEMOS CONHECER JESUS?

podemos caminhar com o Cristo que venceu, a esperança viva!

3. Testemunho

> *E, na mesma hora, levantaram-se*
> *e voltaram para Jerusalém. Ali,*
> *encontraram os onze discípulos e os*
> *outros que estavam reunidos com*
> *eles* (Lucas 24:33).

Quando provamos do amor de Cristo, nos tornamos instrumentos desse mesmo amor. Os dois discípulos de Emaús retornaram para Jerusalém assim que reconheceram Jesus, e se tornaram testemunhas de sua ressurreição e de seu amor derramado sobre a vida de todos. Entenderam que não deveriam mais viver por si mesmos, mas por aquele que por eles morreu e ressuscitou.

A notícia da ressurreição nos oferece esperança, amor e perdão. Ela nos impulsiona a viver o amor de Cristo, amando a todos sem restrições, fazendo parte do seu reino de justiça, abrindo nosso coração para que ele se assente no trono da nossa vida e seja o nosso Deus, nosso Redentor, nosso Salvador e nosso Senhor.

Quando cremos na ressurreição, não há mais espaço para o pessimismo e o medo, pois crer é compreender que o criador do universo habita em nós, enche-nos de vida e abre os nossos olhos para a verdade. Quem tem uma visão pequena de Deus vive

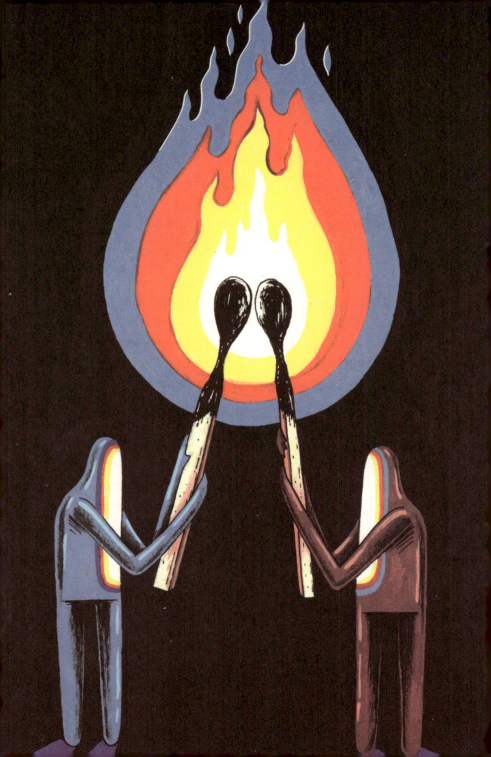

COMO PODEMOS CONHECER JESUS?

com medo! E quando há medo de Deus é porque uma ideia errada sobre ele está enraizada no coração. Um entendimento correto sobre Deus nos dá a segurança de que Jesus aniquilou o pecado, extinguindo a morte e a condenação.

> *Esse amor não tem medo, pois o perfeito amor afasta todo medo. Se temos medo, é porque tememos o castigo, e isso mostra que ainda não experimentamos plenamente o amor* (1João 4:18).

Somos mais pecadores do que podemos compreender, contudo, somos mais amados por Deus do que jamais conseguiremos imaginar. Não importa o que aconteça, a nossa esperança está em Cristo Jesus, que governa assentado no trono do universo, e nossas vidas estão sob o controle de suas mãos.

Somos imperfeitos, mas o amor perfeito de Deus pode transformar nossa vida. O amor do criador é um grande privilégio, mas, também, uma enorme responsabilidade. Por isso, ao nos sentarmos à mesa, precisamos ter consciência de que, assim como Cristo nos amou, somos chamados a amar os outros, e assim como ele se partiu por nós, devemos nos partir uns pelos outros. Partir-se é uma exigência implacável do amor!

Bíblia, comunhão e testemunho. Três presentes de Deus para nos envolvermos num relacionamento real

165

JESUS NÃO É QUEM VOCÊ PENSA

com ele, conhecendo-o verdadeiramente. Seu convite permanece inabalável a todo que a ele se rende:

> *Venham a mim todos vocês que estão cansados e sobrecarregados, e eu lhes darei descanso* (Mateus 11:28).

SOMOS MAIS
PECADORES
DO QUE PODEMOS
COMPREENDER,
CONTUDO, SOMOS
**MAIS AMADOS POR
DEUS** DO QUE JAMAIS
CONSEGUIREMOS
IMAGINAR.

PERGUNTAS
PARA REFLETIR

1 O que você aprendeu sobre Jesus que mais o impactou?

2 Qual das três maneiras de crescer no relacionamento com Jesus você tem mais dificuldade de praticar hoje?

3 Como o evangelho lhe oferece esperança para perseverar em dias difíceis?

CONCLUSÃO

Ter uma visão distorcida de Jesus não é algo exclusivo dos tempos atuais. Mesmo aqueles que estiveram em sua presença, convivendo com o próprio Deus encarnado, muitas vezes não foram capazes de compreender sua verdadeira natureza. Estavam tão próximos, mas, ao mesmo tempo, tão distantes da verdade. O próprio Jesus chegou a questionar seus discípulos:

Quem as pessoas dizem
que o Filho do Homem é?
(Mateus 16:13b, A Mensagem).

A resposta apresentou várias versões, refletindo as diferentes interpretações das pessoas, assim como ocorre nos dias de hoje. Cada indivíduo enxergava Jesus de acordo com suas próprias expectativas e influências:

Eles responderam: "Alguns pensam
que é João, o Batista. Outros acham que
é Elias. Há quem pense que é Jeremias
ou algum dos profetas" (Mateus 16:14,
A Mensagem).

Jesus sabia que as pessoas estavam perdidas em suas interpretações sobre ele. Elas ouviram, por parte dos religiosos, a respeito de um Messias, um resgatador, um profeta como Moisés, que viria para salvar o povo de Deus. Havia profecias no Antigo Testamento sobre um messias poderoso (como um leão) e sobre um cordeiro que daria sua vida pelos pecados do mundo. No entanto, muitos não foram capazes de contemplar o cumprimento dessas profecias em Jesus.

Iludidos por suas ideias grandiosas sobre o salvador, não puderam reconhecer o rei revestido de humildade que estava diante deles. Não entenderam que o reino dos céus deveria ser inaugurado em seus corações, e não no cenário político. O Messias veio para libertar a alma deles, que é eterna, da escravidão, e não dos sofrimentos passageiros desta vida terrena.

Diante da resposta dos discípulos, Jesus os questiona novamente, de forma mais específica.

> Ele insistiu: "E vocês? Quem acham que eu sou?" (Mateus 16:15, A Mensagem).

Ele já sabia a resposta, mas a pergunta era mais para ensinar os discípulos do que para revelar algo a Jesus. Pedro, num instante de iluminação divina, respondeu:

> Tu és o Cristo, o Messias, o Filho do Deus vivo! (Mateus 16:16, A Mensagem).

Pedro ainda teria uma longa jornada de transformação e amadurecimento, mas, naquele momento,

CONCLUSÃO

ele declarou uma verdade que não estava tão óbvia aos olhos de todos: Jesus era o Deus que se fez carne e estava entre eles.

Jesus é Deus! O próprio Deus assumiu forma humana para vir a este mundo nos dar a vida, compartilhar conosco a sua própria vida, a vida divina. Mas por causa do pecado, porque nos rebelamos contra o criador, a vida só nos pode ser concedida por meio da morte — a morte do Cordeiro de Deus. Ele morreu por nós, quando ainda éramos pecadores, para nos libertar de uma vez por todas da escravidão e da morte em nós. Essa é a prova do seu amor incondicional. Não merecemos, mas ele nos amou. O justo juiz não nos condenou, mas nos acolheu com compaixão. O Salvador do mundo nos resgatou do poder do pecado e nos vestiu com sua justiça. Que amor é esse?

Olhando para trás, contemplamos a promessa cumprida em Cristo. Ele veio como cordeiro e venceu o pecado. Agora, com esse entendimento, podemos olhar para frente com grande expectativa, aguardando o cumprimento da promessa do Leão de Judá, que voltará vitorioso para nos buscar.

> *Não chore! Veja, o Leão da tribo de Judá, o herdeiro do trono de Davi, conquistou a vitória* (Apocalipse 5:5).

A pergunta mais importante de nossa vida é: "Quem é Jesus?". Poderemos respondê-la corretamente apenas se conhecermos o verdadeiro Jesus revelado na

Bíblia e tivermos um relacionamento crescente com ele. Quando essa resposta estiver bem fundamentada em nosso coração, ela fará toda a diferença em nossa jornada, trazendo significado, propósito e descanso à nossa alma. Agradecemos a Deus por Jesus Cristo, o Leão da tribo de Judá, que venceu e nos tornará vitoriosos com ele.

TU ÉS O CRISTO, O MESSIAS, O **FILHO DO DEUS VIVO!**

MATEUS 16:16

VOCÊ DESEJA CONHECER JESUS?

Conhecer Jesus é um processo que começa aqui e agora. Passaremos a eternidade conhecendo o Senhor, mas essa alegria pode ser experimentada a partir de hoje. Se você nunca entregou sua vida a Jesus, convido você a fazer esta oração:

"Jesus, eu, _____, entendi que sou pecador(a) e que isso me afasta de Deus. Não há nada que eu possa fazer por mim para me aproximar do Senhor. Peço perdão pelos meus pecados e rogo pela sua misericórdia, pois sei que não mereço a sua salvação. Agradeço pelo seu imenso amor que hoje me alcançou. Entrego o meu coração ao Senhor. Habite em mim e traga descanso à minha alma. Amém."

Se esse livro impactou você, eu gostaria muito de ouvir a sua história. Entre em contato comigo por meio do QR Code abaixo.

Que Deus abençoe sua vida! Minha sincera oração é que você viva um relacionamento crescente com o verdadeiro Jesus.

ASSISTA À SÉRIE DE MENSAGENS "SIMPLESMENTE JESUS" QUE INSPIROU ESTE LIVRO EM NOSSO CANAL NO YOUTUBE.COM/IGREJARED. SE PREFERIR, ACESSE POR MEIO DO QR CODE AO LADO.

NOTAS

INTRODUÇÃO

1. KELLER, Timothy. "Jesus wasn't just a nice guy who did good in the world. You don't crucify nice guys. You crucify threats." 30 mai. 2015. Twitter: @timkellernyc. Disponível em: https://twitter.com/timkellernyc/status/604678679860547585. Acesso em: 27 mai. 2023.

CAPÍTULO 1

2. Biblioteca de Celso. Wikipédia, 2023. Disponível em: https://pt.wikipedia.org/w/index.php?title=-Biblioteca_de_Celso&oldid=65870889. Acesso em: 14 mai. 2023.

3. PORFÍRIO, Francisco. Heráclito. Brasil Escola. Disponível em: https://brasilescola.uol.com.br/filosofia/heraclito.htm. Acesso em: 20 mai. 2023.

4. CARNEIRO, Alfredo. Pré-socráticos: do mito ao logos ou a origem da filosofia. Disponível em: https://www.netmundi.org/filosofia/2014/pre-socraticos-do-mito-ao-logos/. Acesso em: 23 mai. 2023.

5. DOMINGUES, Gleyds. *A arte da pesquisa na construção de ideias e argumentos.* Winston-Salem:

Piedmont Internacional University, 2019. Edição digital.

6. Gravidade. Wikipédia, 2023. Disponível em: https://pt.wikipedia.org/w/index.php?title=Gravidade&oldid=65888248. Acesso em: 17 mai. 2023.

7. NEWTON, Isaac. Pensador. Disponível em: https://www.pensador.com/frase/MTM2NDU0/. Acesso em: 30 mai. 2023.

8. NEWTON, Isaac. Pensador. Disponível em: https://www.pensador.com/frase/MTM2NDU1/. Acesso em: 30 mai. 2023.

9. HARWOOD, Michael. The Universe and Dr. Hawking. Disponível em: https://www.nytimes.com/1983/01/23/magazine/the-universe-and-dr-hawking.html. Acesso em: 22 ago. 2022.

10. GEISLER, Norman. *Não tenho fé suficiente para ser ateu*. São Paulo: Vida, 2006. p. 68.

11. GEISLER, Norman. *Enciclopédia de apologética*: respostas aos críticos da fé cristã. São Paulo: Vida Nova, 2002. p. 321

12. Para mais informações sobre o tema, confira a entrada "antrópico, princípio" em: GEISLER, Norman. Enciclopédia de apologética, p. 46

13. MCGRATH, Alister. *Ciência e religião*: fundamentos para o diálogo. Rio de Janeiro: Thomas Nelson Brasil, 2020. p. 100

14. Código Genético. Wikipédia, 2022. Disponível em: https://pt.wikipedia.org/w/index.php?title=C%-C3%B3digo_gen%C3%A9tico&oldid=64485575. Acesso em: 29 set. 2022.

NOTAS

CAPÍTULO 2

15. BLAISE, Pascal. In: PIPER, John. *Teologia da alegria*: a plenitude da satisfação em: Deus. São Paulo: Shedd, 2001. p. 8

CAPÍTULO 4

16. Um artigo no Journal of Medicine analisou 76 casos de hematidrose e concluiu que as causas mais comuns são medo profundo e intensa contemplação mental. Veja HOLOUBEK, J. E.; HOLOUBEK, A. E. Blood, Seat and Fear: A Classification of Hematidrosis. *Journal of Medicine*, 1996, 27 (3-4). p. 115-133.

17. LUCADO, Max. "Nails didn't hold God to a cross. Love did." 29 mar. 2013. Twitter: @MaxLucado. Disponível em: https://twitter.com/MaxLucado/status/317616022830071808. Acesso em: 15 nov. 2023.

18. KELLER, Tim. "Os teus problemas não podem lhe impedir de servir. Jesus lavou os pés dos seus discípulos no caminho para a cruz." 29 jun. 2020. Twitter: @timkellerbrasil. Disponível em: https://twitter.com/timkellerbrasil/status/1277553704644816896. Acesso em: 27 mai. 2023.

CAPÍTULO 5

19. KELLER, Tim. "Se sou amado devido a graça, como posso me sentir superior a alguém?" 7 fev. 2019.

Twitter: @timkellerbrasil. Disponível em: https://twitter.com/timkellerbrasil/status/1093430978968780800. Acesso em: 27 mai. 2023.

20. STOTT, John. *A cruz de Cristo*. São Paulo: Vida, 2006. p. 52

CAPÍTULO 6

21. PIPER, John. *O que Jesus espera de seus seguidores*: mandamentos de Jesus ao mundo. São Paulo: Vida, 2008. p. 107

SOBRE
O AUTOR

TIAGO MATTES

Casado com a Nath e pai da pequena Mel, Tiago Mattes nasceu em um lar cristão e cresceu em Novo Hamburgo, RS. É surfista e torcedor colorado. Aos 14 anos, em uma experiência especial com Deus, decidiu tornar-se pastor, com o sonho de alcançar amigos que não se identificavam com a igreja e nada sabiam sobre Jesus. Anos mais tarde, mudou-se para o interior de São Paulo, onde estudou teologia. Foi pastor por onze anos na Igreja Batista Água Viva (Vinhedo, SP), que o enviou para plantar uma igreja em Indaiatuba, SP, no ano de 2012. Mattes, então, perseguindo seu antigo sonho, começou a Red e, com a graça de Deus, muitas pessoas têm sido alcançadas por meio dela.

@TIAGOMATTES

SIGA O TIAGO NAS REDES SOCIAIS.

SOBRE
A RED

Em 2013 nasceu a Igreja Batista Redenção (mais conhecida como Igreja Red ou simplesmente Red) com um grupo de 40 pessoas em Indaiatuba, SP. Ali, Tiago Mattes começou um sonho: uma igreja simples, bíblica e contemporânea, com o fim de alcançar pessoas que nunca entrariam numa igreja. Com a graça de Deus, a igreja tem crescido muito, impactando mais de 3.500 vidas por meio do amor de Jesus todos os domingos.

Tiago já não é o único pastor. A Red conta com uma equipe de mais de 20 colaboradores, entre pastores, líderes e auxiliares, além de um time com mais de 1.700 voluntários. Todos trabalham com compromisso, excelência e paixão.

Nunca poderíamos imaginar aonde chegaríamos. Estamos vivendo um sonho!

Se você ainda não conhece a Igreja Red, junte-se a nós nesta jornada. Se você mora longe, acompanhe-nos pelas redes sociais, temos conteúdo para toda a sua família. Nosso maior desejo é que você também tenha um relacionamento crescente com Jesus.

▶ YOUTUBE.COM/**IGREJARED** ⟶

🌐 **IGREJARED**.COM

📷 **@IGREJARED**

SIGA A RED
NAS REDES SOCIAIS
E FIQUE POR DENTRO
DE TUDO O QUE
ACONTECE!

NÃO CHORE! VEJA, O **LEÃO DA TRIBO DE JUDÁ,** O HERDEIRO DO TRONO DE DAVI, CONQUISTOU A VITÓRIA.

APOCALIPSE 5:5

Este livro foi impresso pela Santa Marta,
em 2024, para a Thomas Nelson Brasil.
A fonte usada no miolo é Noto Serif. O
papel é snowbright 70g/m².

NÃO CHORE! VEJA, O **LEÃO DA TRIBO DE JUDÁ,** O HERDEIRO DO TRONO DE DAVI, CONQUISTOU A VITÓRIA.

APOCALIPSE 5:5

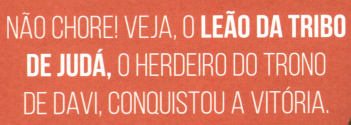